NARUTO
masashi kishimoto
15
Kana
岸本斉史

PERSONNAGES PRINCIPAUX

SASUKE UCHIWA

NARUTO UZUMAKI

SAKURA HARUNO

GAÏ

NEJI HYÛGA

ROCK LEE

TENTEN

GAMA BUNTA

KIBA INUZUKA & AKAMARU

HINATA HYÛGA

SHIKAMARU NARA

SHINO ABURAME

INO YAMANAKA

CHÔJI AKIMICHI

RÉSUMÉ DES ÉPISODES PRÉCÉDENTS

EN COMPAGNIE DE SASUKE ET DE SAKURA, NARUTO, LE PIRE GARNEMENT DE L'ÉCOLE DES NINJAS DU VILLAGE CACHÉ DE KONOHA, POURSUIT SON APPRENTISSAGE.
LORS DE L'EXAMEN DE SÉLECTION DES NINJAS DE "MOYENNE CLASSE", ILS SE FONT ATTAQUER DANS "LA FORÊT DE LA MORT", PAR UN MYSTÉRIEUX NINJA, NOMMÉ OROCHIMARU, QUI DÉPOSE UNE MARQUE MALÉFIQUE SUR LE CORPS DE SASUKE AVANT DE DISPARAÎTRE.

NARUTO ET SASUKE, QUI SE SONT IMPOSÉS DANS LES PHASES QUALIFICATIVES DE LA TROISIÈME ÉPREUVE, AVANCENT VERS LA FINALE.
ALORS QUE LE COMBAT ENTRE SASUKE ET GAARA COMMENCE SOUS LES YEUX MÉDUSÉS DU PUBLIC, OROCHIMARU, SOUS LES TRAITS DE KAZEKAGE, ENLÈVE MAÎTRE HOKAGE ET S'ENFERME AVEC LUI À L'INTÉRIEUR D'UNE BARRIÈRE MAGIQUE INFRANCHISSABLE.

LE PLAN DIABOLIQUE D'OROCHIMARU ET DE SES SBIRES VISANT LA DESTRUCTION DÉFINITIVE DE KONOHA A COMMENCÉ !!
NARUTO ET SES COMPAGNONS SE LANCENT À LA POURSUITE DE GAARA ET DE SASUKE QUI ONT DISPARU PENDANT LA BATAILLE.

GAARA, RATTRAPÉ PAR SASUKE DANS LA FORÊT, ENTAME UNE EFFROYABLE MÉTAMORPHOSE.

Sommaire

HAA
HAA
127e épisode : "VIVANT"...!!

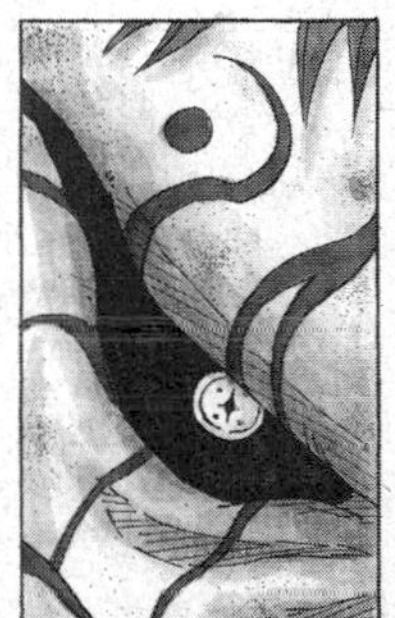

HAA
* AMOUR

SASUKE UCHIWA
NARUTO UZUMAKI

GAARA DU DÉSERT
127e ÉPISODE :
"VIVANT"...!!

NARUTO

GLOUPS

C'EST L'OEIL...
... DE TOUT À L'HEURE ...!!

BRRR...
BRRR...

VROOOOP

!!

RAAAAAH!!!

SBRAAAAM
FFFFF...
CRAAAACK
Fwooosh

C'EST UN DÉMON...
モク モク
FFFFFF...

TU AS PEUR DE MOi ?

SASUKE UCHiWA...

...

キョロ SCRUT
MA SEULE EXISTENCE T'EFFRAIE ?!

NE L'OUBLIE PAS...
... TU ES MA PROIE...
... ATTENDS !!!
!
POURQUOI... T'INTÉRESSES-TU TELLEMENT À MOI ?
...
...

TES YEUX ME DISENT QUE TU CONNAIS LA VRAIE SOLITUDE...
!!
...
TU SAIS TOI-MÊME...
... QU'IL N'Y A PAS PLUS GRANDE PEINE DANS CE MONDE...

JE TE L'AI DÉJÀ DIT : TU AS LE MÊME REGARD QUE MOI...
... REMPLI DE SOIF DE PUISSANCE, DE HAINE ET D'ENVIE DE MEURTRE.
EXACTEMENT LE MÊME ...

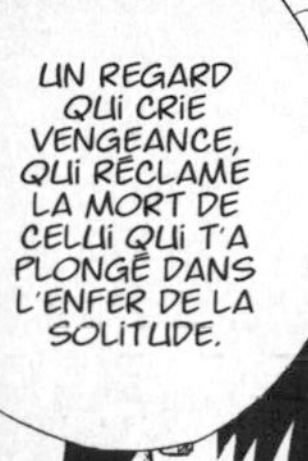
UN REGARD QUI CRIE VENGEANCE, QUI RÉCLAME LA MORT DE CELUI QUI T'A PLONGÉ DANS L'ENFER DE LA SOLITUDE.
...

ALCOOL
Ko'uchi

KZUM
VOILÀ... C'EST CE REGARD-LÀ...
C'EST TOUT POUR AUJOURD'HUI ...
!
C'EST GAARA, TON NOM, C'EST ÇA ?
...
J'IGNORE CE QUE TU SAIS DE SASUKE...
... MAIS CE SERAIT UNE ERREUR DE PRÉTENDRE POUVOIR LIRE EN LUI COMME DANS UN LIVRE !
ET PUIS, FRANCHEMENT, QUEL EST L'INTÉRÊT DE CE GENRE DE PETIT SPEECH À LA VEILLE DE LA PHASE FINALE DU TOURNOI ?
...!
LE COMBAT...
... C'EST METTRE SA VIE EN JEU FACE À QUELQU'UN D'AUTRE.

LE COMBAT EST UNE MISE À MORT.
SEUL CELUI QUI SORT VAINQUEUR D'UN TEL AFFRONTEMENT A LE PRIVILÈGE DE SAISIR LA VALEUR DE LA VIE.
DONC, SI JE COMPRENDS BIEN...
... DEMAIN, CONTRE SASUKE, CE NE SERA PAS UN SIMPLE MATCH : TU COMPTES ALLER JUSQU'AU BOUT ?

UCHIWA... C'EST CE QUE TU DÉSIRES, EN RÉALITÉ...
... AU PLUS PROFOND DE TOI...
AVEC TON REGARD AVIDE DE MEURTRE, TU VEUX ÊTRE SÛR QUE TA VOLONTÉ DE VIVRE EST PLUS FORTE QUE CELLE DE TON ADVERSAIRE.
TU ES PRÊT À METTRE À L'ÉPREUVE JUSQU'À TON EXISTENCE MÊME...
... POUR SAVOIR SI TU ES VRAIMENT FORT.

...

ALORS ?
TU AS PEUR DE MOI ?

...

NE ME DIS PAS QUE TA PEUR A PRIS LE DESSUS SUR LA HAINE ET L'ENVIE DE TUER !
TU ES DONC UN ÊTRE AUSSI INSIGNIFIANT QUE ÇA ?

ZUP !

Hm ! Au fond, je connais la réponse...

Bzom

Il ne voulait pas être tourmenté par le sentiment de culpabilité de celui qui a massacré "toute sa famille".

MON FRÈRE ITACHI M'A CHOISI POUR ÊTRE CELUI QUI EXÉCUTERA LA VENGEANCE...
... POUR ÊTRE CELUI QUI LE TUERA !
KIIII

!!

RAAAAAAAAAAAAH!
WHAAAAAAAAAAH!
Fwsh
Fwsh

GWAAARGH!!!

...

...!!

VRAAAAATCH

STAP!!!
STAP!!!

...?!

AH...
AH HA HA HA HA HA !!!!

128e ÉPISODE :
DÉPASSER SES LIMITES...!!
SASUKE
GAZ

HA HA
HA HA
!!!!

HA HA HA... ÇA ALORS !!!
AU MOINS, JE SUIS FIXÉ !

C'EST IMPOSSIBLE...
... IL A RÉUSSI À CONTRER GAARA APRÈS MUTATION.

J'AI ENFIN COMPRIS...
... POURQUOI J'ÉTAIS SI EXCITÉ !

?!
HAA
HAA
KZIM

CETTE DOULEUR ...
KZIM

VRUP
JE VAIS ENFIN POUVOIR ANÉANTIR UN ADVERSAIRE QUI EST ASSEZ FORT POUR ME BLESSER.
JE VAIS RESSENTIR MON EXISTENCE ENCORE PLUS FORT.

...
HAA
HAA

IL A BLESSÉ DEUX FOIS GAARA, ALORS QUE PERSONNE NE L'AVAIT JAMAIS TOUCHÉ.
CE TYPE N'EST PAS HUMAIN.

NON... LE SEUL QUI NE SOIT PAS HUMAIN ICI, C'EST GAARA. SEUL SON BRAS DROIT S'EST MÉTAMORPHOSÉ... POUR L'INSTANT...

HA HA HA ! ENCORE, ENCORE !!!!
WOOOOP
WOOOOO
ズズズッ
GWARH !!!
!!
!!

WAM
HAA
HAA
HAA

MAIS QUI EST CE TYPE ?
QUAND CETTE TRANSFORMATION VA-T-ELLE S'ARRÊTER ?...

ALLEZ !!!
GNNN...

ZAM

IL EST DE PLUS EN PLUS RAPIDE !!!!

KRUMB
HUNG!!!
STAP
FLAP
STOCK
STOCK

* ART DE MANIPULER LE FEU.

!!!
TECHNIQUE SUPRÊME DE LA BOULE DE FEU !!
BROOOOF!
ZWUP
MEURS !!!
JE VOIS... LE FEU NE PEUT RIEN CONTRE LE SABLE.
FACE À UN TEL ADVERSAIRE...
FWAP
FINALEMENT...
...IL N'Y A QUE "LES MILLE OISEAUX" !!!

KBAM
URGH!!!
VRAAAAM
HAA
HAA
HAA
HAA
HAA
HAA
BON ! DEUX... C'EST TA LIMITE...
... POUR L'HEURE ACTUELLE, TOUT DU MOINS.

!!
TSSS…
Kiiii…
HAA
HAA
HAA
HAA
KZUM
HAA
HAA
HAA
HAA
C'EST LE NOMBRE D'ATTAQUES DES "MILLE OISEAUX" QUE TON NIVEAU DE CHAKRA ACTUEL TE PERMET DE LANCER CHAQUE JOUR.
HAA
HAA
DE TOUTE FAÇON....
... EN COMBAT RÉEL, IL FAUT LA COMBINER AVEC TON SHARINGAN...
... ET L'EMPLOI DU SHARINGAN AVEC UNE AUTRE TECHNIQUE...
... CONSUME TON CHAKRA À UNE VITESSE AFFOLANTE. C'EST COMME S'IL EXPLOSAIT EN CHAÎNE DANS CHAQUE RECOIN DE TON ORGANISME.
...
HAA
HAA
HAA
ビリ ビリ
BRRR... BRRR...

MAIS BON ! TU ES TOUT DE MÊME TRÈS IMPRESSIONNANT ...
MOI AUSSI, TU SAIS...
... JE NE PEUX PAS UTILISER "L'ÉCLAIR POURFENDEUR" PLUS DE 4 FOIS PAR JOUR !
...

ET SI JE TENTAIS D'ALLER AU-DELÀ DE 2...
... QUE SE PASSERAIT-IL ?

...
IL N'Y AURA PAS DE TROISIÈME FOIS... OUBLIE ÇA !

SI TU TENTES D'EXÉCUTER UNE TECHNIQUE POUR LAQUELLE TU N'AS PAS LES RESSOURCES...
... NON SEULEMENT TU ÉCHOUERAS, MAIS EN PLUS TU FERAS TOMBER TA RÉSERVE DE CHAKRA À ZÉRO.

TU POURRAIS MÊME EN MOURIR.
ET EN ADMETTANT QUE TU SURVIVES, SANS CHAKRA TU IRAIS AU DEVANT D'ENNUIS TRÈS SÉRIEUX...
...TOI PLUS QUE QUICONQUE...

HAA
HAA
HAA

C'EST TOUTE L'IMPORTANCE QUE TU ATTACHES À TON EXISTENCE ?
C'EST CLAIR...

...TU N'ES PAS TRÈS FORT !!!
GULP !

TU ES ENCORE UNE PETITE NATURE...
TA HAINE EST FAIBLE.

...

LA HAINE DONNE LA FORCE DE TUER...
LA FORCE DE TUER DONNE LE POUVOIR DE SE VENGER.

...

MA HAINE EST PLUS GRANDE QUE LA TIENNE !!!

TAIS-TOI...

TU COMPRENDS CE QUE ÇA SIGNIFIE ?

KIIIIII
TOUT SIMPLEMENT ...
... QUE TU ES PLUS FAIBLE QUE MOI !!
FWAAM
KZIM
!
BWOO

SHRRRRUP

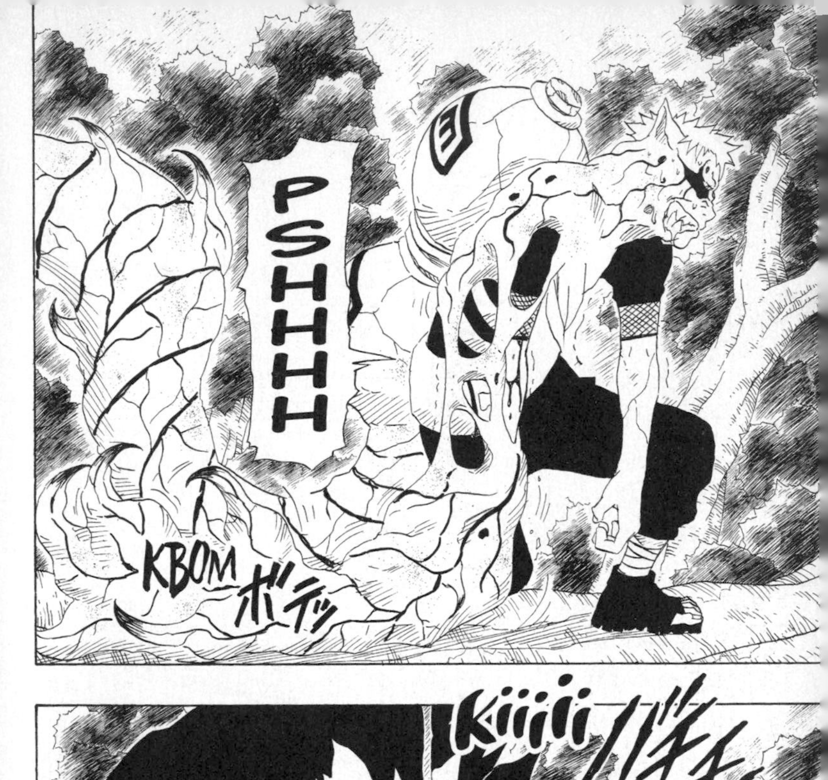
PSHHHH
KBOM
ボデッ

Kiiiii
バチチチ.

AAAAAAARGH!!!
WOOOP
KZUM
ZOP
KZIM
BTAM
HUNGH!!!
C'EST ENCORE... LE MALÉFICE...
FWAM
RAAAAAH!!!
!!
BON SANG...! JE NE PEUX PLUS BOUGER...

KBAM
!!!

BAAM

stAp

Fwush

SASUKE!!!
stAp

HAA
HAA
HAA
stAp

!

...
HAA
HAA

129e ÉPISODE :
DOULEUR...!!
HGN... URGH...

ON ARRIVE UN PEU TROP TARD.
UGH...

EUX !

GHEU...
VOUS...

C... C'EST...

IL A DÛ MENER UN AFFRONTEMENT TERRIBLE... COMME L'AUTRE FOIS...
MAÎTRE KAKASHI AVAIT POURTANT DIT QUE TU N'AVAIS PLUS À TE SOUCIER DE CETTE MARQUE !!!!
GWOOOORGH

SA... SAKURA ...
SAKURA !!!

QUOI ?!

C'EST QUOI, ÇA LÀ ?!!!

!
KOZUM

SON ASPECT A CHANGÉ...
... MAIS C'EST BIEN GAARA !!!
SNIF SNIF

C'EST LUI QUI A MIS SASUKE DANS CET ÉTAT...

!

JE SUIS VENU AU MONDE EN PRENANT LA VIE DE LA FEMME QUI AURAIT DÛ ÊTRE MA MÈRE...
J'ÉTAIS DESTINÉ À DEVENIR UN NINJA SURPUISSANT... MON PÈRE M'A FAIT POSSÉDER PAR L'ESPRIT DU SABLE...

JE SUIS NÉ...
... MONSTRE !

C'EST DE ÇA QU'IL PARLAIT, ALORS...?

EUH... JE N'AI PAS ÉTÉ DRESSÉ POUR LE COMBAT, MOI.
ON AVAIT COMPRIS !!!!
PAS DE BLAGUE, HEIN ?

UGH... URGH...
EN TOUT CAS, IL FAUT SORTIR SASUKE D'ICI...
... ET L'AMENER AUPRÈS DE MAÎTRE KAKASHI, PAR UN MOYEN OU UN AUTRE...!!

GNN... URGH...
TU POURRAIS MÊME EN MOURIR. ET EN ADMETTANT QUE TU SURVIVES, SANS CHAKRA TU IRAIS AU DEVANT D'ENNUIS TRÈS SÉRIEUX...
TOI PLUS QUE QUICONQUE...
... À CAUSE DE LA MALÉDICTION ?
...

SI TU TE LAISSES EMPORTER PAR LA HAINE ET SI TU RECOURS À LA PUISSANCE DE LA MARQUE...
... TU RESTERAS ÉTERNELLEMENT DÉPENDANT DE SON POUVOIR...

... ET TON ESPOIR DE VAINCRE ITACHI S'ENVOLERA.
HAA
HAA

JE DOIS CONTENIR LA MARQUE.
GWAAAA!!!

SASUKE!!!

...

... JE CONTINUERAI D'EXISTER.

!
HEIN ?

!

MEURS !!!

SASUKE UCHIWA !!!!

Fwoooosh
SAKURA!!!

KYAAA.....!!
STOK
STAP!!!
GWAAAH!!!
DOKAM

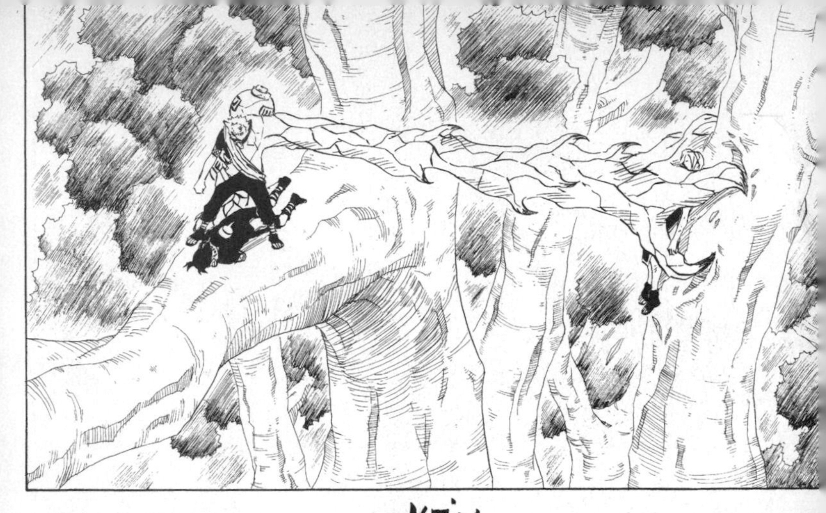

KZIM
ズキン
HUNG!!!

STAP
ザッ

CHOPF
パシィ
STAP
ザッ

SAKURA!!!

C'EST À PEINE CROYABLE... ELLE A FAIT FACE À GAARA EN PLEINE MUTATION !!!

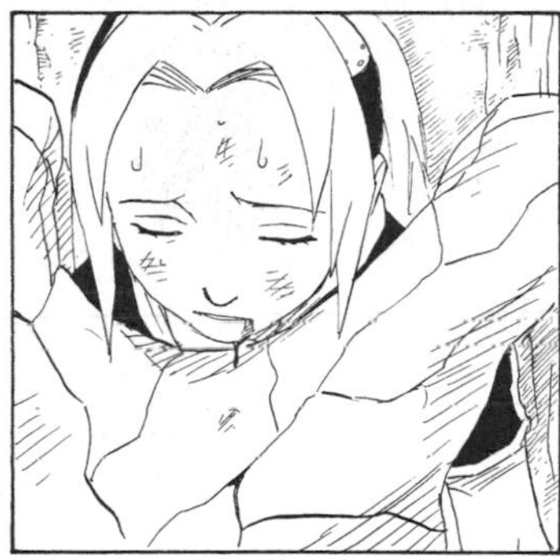

MERDE ! TRIPLE MERDE !
QU'EST-CE QUE JE PEUX FAIRE DANS CETTE SITUATION ?!

SEUL FACE À GAARA...
ALLEZ... FAITES-MOI ÉPROUVER CETTE SENSATION.
ゴクッ
GLOUPS!

...!

UGH... UH...

POURQUOI ...?

UUGH...
...
YASHAMARU...
TAP
TOMP
ALLEZ!!!
PASSE!!!

ET MiiiiNCE !!!
ON FAiT COMMENT ?
ON N'A PAS ENCORE APPRiS LA TECHNiQUE POUR GRiMPER SUR LES MURS.
!
FFF...
WOOP !

!!
LÀ... REGARDEZ ...!

FWUP
スッ
GAARA !!!
GAARA DU DÉSERT...
FUY...
FUYONS !!!
DASH
ダッ
WHAAAA !!!
DASH
ダッ
!
WOOOSH
ATTENDEZ !!!
NE ME LAISSEZ PAS TOUT SEUL !!
ブワッ

SBAM
WHA !
À L'AIDE !
SKRRSH...
JE NE VEUX PLUS ÊTRE TOUT SEUL !!
STAK
AAAAAH!!!
NOOOON!!!
FWOM
STONK
HUNG!!!
MAÎTRE GAARA ! REPRENDS TON CALME !!!

URGH... HNG...

FWP
GNNN...

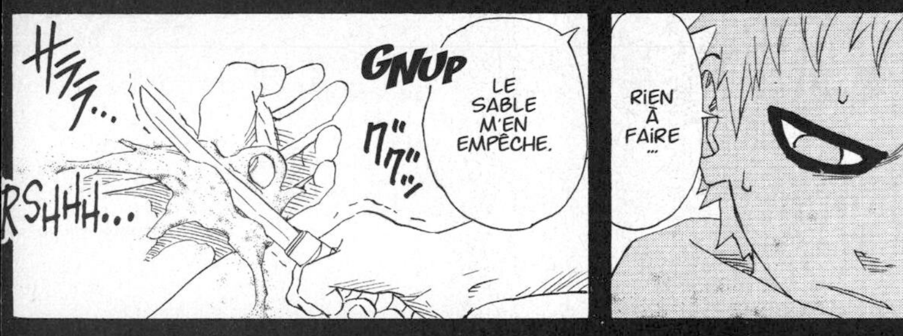
RIEN À FAIRE ...
GNUP
LE SABLE M'EN EMPÊCHE.
RSHHH...

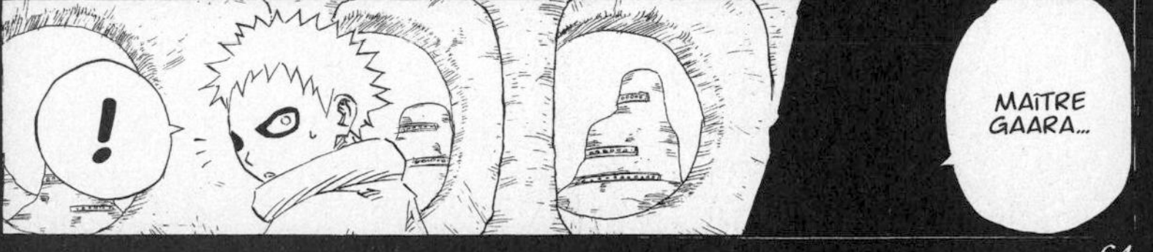
MAÎTRE GAARA...
!

EN TANT QUE MEMBRE DE L'ÉQUIPE MÉDICALE, JE ME DOIS DE VEILLER À TA BONNE SANTÉ, MAIS J'AI ÉGALEMENT REÇU DE MAÎTRE KAZEKAGE L'ORDRE DE TE PROTÉGER.
NE TENTE PLUS CE GENRE DE CHOSE DEVANT MOI.
...

DE TOUTE FAÇON, LE SABLE TE PROTÉGERA...

...YASHAMARU...
PARDON...
JE T'AI BLESSÉ...
TU AS MAL...?

AH, ÇA ?
OH, OUI, UN PEU...
CE NE SONT QUE QUELQUES ÉRAFLURES. ÇA PARTIRA TRÈS VITE.
DIS, YASHAMARU...
QU'Y A-T-IL ?

QU'EST-CE QUE C'EST PRÉCISÉMENT...
... "AVOIR MAL" ?

LE PETIT MONDE DE MASASHI KISHIMOTO

MON PARCOURS 21

EN DEUXIÈME ANNÉE À LA FAC, J'AI FAIT LA CONNAISSANCE DE 2 SENPAÏS QUI DESSINAIENT DES MANGAS, QUI M'ONT DRÔLEMENT MOTIVÉ. J'AI DÉCIDÉ DE CONCOURIR POUR LE PRIX D'UNE REVUE DE BUSINESS.

OBTENIR UN PRIX POUR JEUNES DESSINATEURS N'EST PAS UNE MINCE AFFAIRE. CHAQUE REVUE POSSÈDE SES TENDANCES ET SON STYLE. IL FAUT VRAIMENT S'ADAPTER AU STYLE DE LA MAISON POUR REMPORTER LE PRIX (CE N'EST PAS DIFFICILE À COMPRENDRE).
PAR EXEMPLE, SI ON PRÉSENTE UN MANGA D'ACTION OU DE BATAILLE AVEC DES MESSIEURS MUSCLÉS AU SANG CHAUD POUR UN MAGAZINE DE SHOJO* MANGA, IL RISQUE TRÈS FORTEMENT DE FINIR À LA CORBEILLE, UNIQUEMENT À CAUSE DE LA COUVERTURE. DANS LE MEILLEUR DES CAS, IL REVIENT PAR LA POSTE (ET ENCORE).

C'EST UN EXEMPLE EXTRÊME, MAIS IL EST VRAIMENT IMPORTANT DE SAISIR LA LIGNE DIRECTRICE D'UN MAGAZINE : LE HORS-SUJET EST LE VÉRITABLE PIÈGE.
C'EST PARTICULIÈREMENT LE CAS DES MAGAZINES SEINEN** MANGA ET SHONEN*** MANGA. ILS ONT DE NOMBREUX POINTS COMMUNS SI BIEN QU'IL EST DIFFICILE DE GARDER À L'ESPRIT LEURS SPÉCIFICITÉS. MOI-MÊME, JE N'AI PAS SU ÉVITER L'ÉCUEIL...
POUR RÉSUMER, NOUS DIRONS QUE J'AVAIS PRODUIT UN MANGA MI-FIGUE MI-RAISIN, QUI AURAIT PU APPARTENIR TANT AUX GENRES SHONEN QUE SEINEN, CAR J'ÉTAIS MOI-MÊME, À L'ÉPOQUE, ENCORE TIRAILLÉ ENTRE LES DEUX ŒUVRES MAJEURES DE MA JEUNESSE : "AKIRA" ET "DRAGON BALL".
J'AVAIS PEINÉ DURANT TOUTE L'ÉCRITURE POUR LA LIGNE À DONNER À MON MANGA. LORSQUE JE ME DÉCIDAIS POUR L'UNE, L'AUTRE REVENAIT PAR UNE PORTE DÉROBÉE.
JE SAVAIS BIEN, POURTANT, QUE LE THÈME, LE DESSIN, LA TENSION, LES DIALOGUES, LES EFFETS GRAPHIQUES, ETC. SONT TRÈS DIFFÉRENTS, SELON QUE L'ON PRODUISE UN SEINEN OU UN SHONEN MANGA. J'AURAIS DÛ FIXER CES CHOIX AVANT DE ME LANCER.

AU DÉPART, J'AVAIS ENTREPRIS DE FAIRE UN SEINEN MANGA CAR DANS CHACUNE DE MES ESQUISSES OU DE MES PLANCHES, ON RETROUVAIT "AKIRA" : JE CROYAIS ALORS QUE C'ÉTAIT LA VOIE QUI CORRESPONDAIT LE MIEUX À MON CARACTÈRE.
J'ÉTAIS POURTANT TRÈS MAL À L'AISE DANS L'ÉCRITURE D'UN SEINEN. C'EST AU PRIX D'UNE TRÈS FORTE INTROSPECTION QUE J'AI PRIS CONSCIENCE QUE C'ÉTAIT BIEN LE SHONEN MANGA, PAR L'INTERMÉDIAIRE DE SON PLUS ILLUSTRE REPRÉSENTANT, "DRAGON BALL", QUI ÉTAIT ANCRÉ AU PLUS PROFOND DE MOI.
"NARUTO" EN EST LE MEILLEUR TÉMOIGNAGE.

* Revue destinée à un public féminin et jeune.
** Revue destinée à un public de 15-20 ans.
*** Revue destinée à un public de 7-15 ans.

130e ÉPISODE : L'AMOUR...!!

...
YASHAMARU...
!
DONC...
LOGIQUEMENT...
TU DOIS ME DÉTESTER ?
...

TOUS LES ÊTRES HUMAINS VIVENT EN SOUFFRANT ET EN FAISANT SOUFFRIR.
MAIS CE N'EST PAS POUR AUTANT...
... QU'ILS SE DÉTESTENT LES UNS LES AUTRES AUTOMATIQUEMENT.
MERCI, YASHAMARU ...
GRÂCE À TOI, J'AI COMPRIS À PEU PRÈS CE QU'ÉTAIT "AVOIR MAL".
AH ?
...
JE PENSE QUE J'AI DÛ ME BLESSER, MOI AUSSI...
... COMME LES GENS NORMAUX...
?!
... PARCE QUE J'AI TOUJOURS MAL.
...!
...!

MÊME SI JE NE SAIGNE PAS...
GRAPF
グッ
... ÇA FAIT TRÈS MAL, ICI.
...

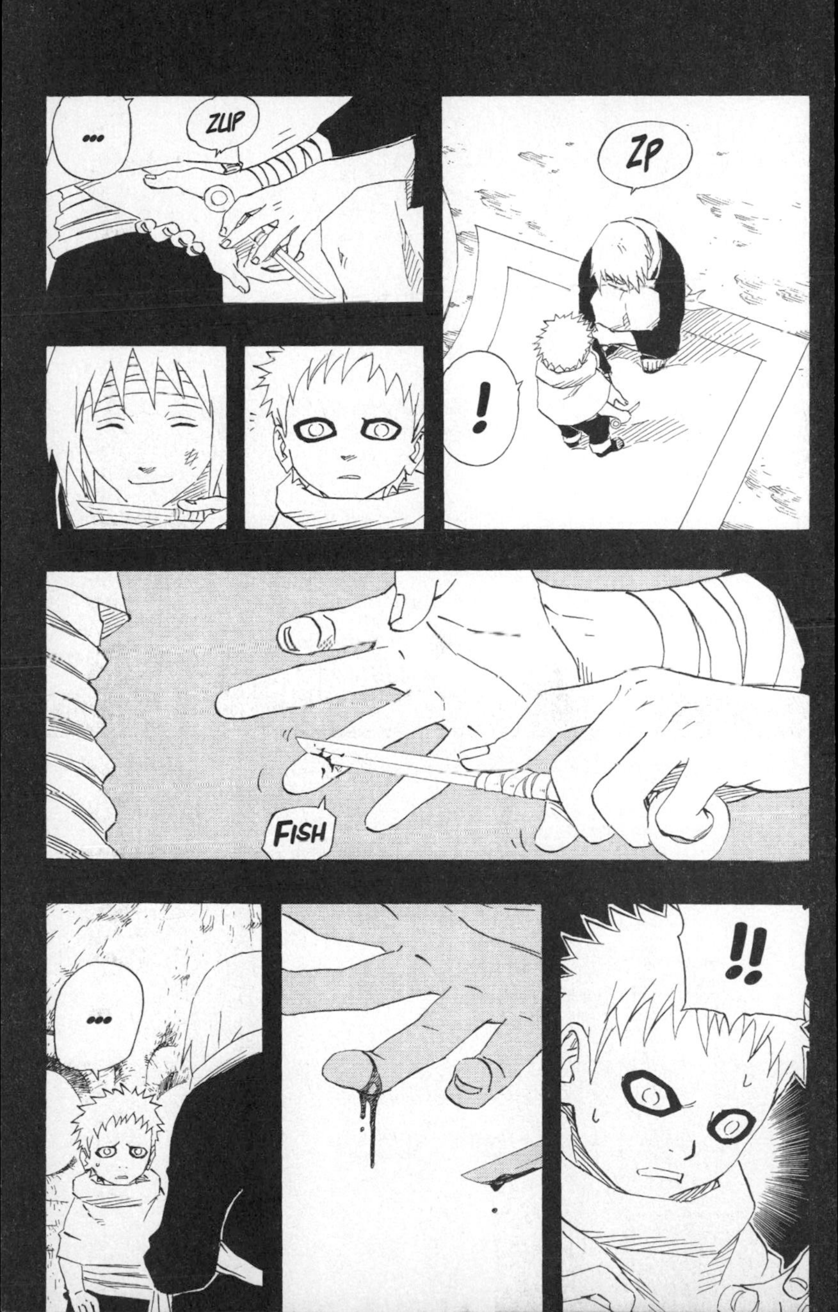

ZP
!
ZUP
...
FISH
!!
...

LES BLESSURES FAITES SUR LE CORPS SAIGNENT...
EN APPARENCE, ELLES FONT MAL...
... MAIS ELLES DISPARAISSENT AVEC LE TEMPS...
... ET ON GUÉRIT PLUS VITE ENCORE SI L'ON PREND DES MÉDICAMENTS.
...!
ZUP
LES PEINES DU COEUR SONT BIEN PLUS SÉRIEUSES.
CE SONT LES PLUS DIFFICILES À GUÉRIR.
LES PEINES DU COEUR...?
ELLES SONT DIFFÉRENTES DES BLESSURES PHYSIQUES.
IL N'Y A PAS D'ONGUENT CONÇU POUR ELLES...
PARFOIS, ON N'EN GUÉRIT JAMAIS.
...
...

IL EXISTE UNE CHOSE, POURTANT ...
... UNE SEULE CHOSE QUI PUISSE SOULAGER LES PEINES DU COEUR.
...
...?
CE N'EST PAS UN REMÈDE TRÈS PRATIQUE, TOUTEFOIS...
... ON NE PEUT LE RECEVOIR QUE D'AUTRUI.
...
... QU'EST-CE DONC ?
C'EST L'AMOUR.

L'AMOUR ?
OUI.
...
COMMENT PEUT-ON EN RECEVOIR ?
L'AMOUR...
... C'EST UN SENTIMENT BIENVEILLANT ET AFFECTUEUX QUE L'ON ÉPROUVE ENVERS LES PROCHES ET LES GENS TRÈS IMPORTANTS POUR SOI.
TU EN AS DÉJÀ REÇU, MAÎTRE GAARA.
HEIN?
COMME MA SOEUR POUR TOI...

...
JE PENSE QUE TA MÈRE T'AIMAIT ÉNORMÉMENT.
SHUKAKU, L'ESPRIT DU SABLE QUI T'HABITE, EST TOUT ENTIER VOUÉ À L'OFFENSIVE.
POURTANT, LE SABLE T'ASSURE UNE PROTECTION DE TOUS LES INSTANTS, COMME S'IL ÉTAIT IMPRÉGNÉ D'ATTENTION MATERNELLE.
L'AMOUR DE TA MÈRE EST PASSÉ DANS LE SABLE.
...
MA MÈRE...
MÊME EN MOURANT ...
... ELLE A VOULU TE PROTÉGER, GAARA.

JE VOULAIS TE REMERCIER POUR AUJOURD'HUI...
MAIS DE QUOI, MON GARÇON ?
... DE M'AVOIR ARRÊTÉ.
JE T'EN PRIE.
OUILLE!!!
TU M'ES UN ÊTRE TRÈS CHER, GAARA.
DIS, YASHAMARU ...
... J'AI UN SERVICE À TE DEMANDER.
QUOI DONC ?
J'AURAIS BESOIN D'UN ONGUENT DE SOIN.

TOC TOC
!
KLAK
JE SUIS DÉSOLÉ POUR CE MATIN... TU AS DÛ AVOIR MAL.
... C'EST UN ONGUENT... J'ESPÈRE QUE TU L'ACCEPTERAS...
VA-T'EN, MONSTRE...
...

PORTAIL
FAIS ATTENTION, SALE MIO...
TOM
OH...
!!
TU ES...
ENCORE...
LE MÊME REGARD...
POURQUOI?
WOOOOP
POURQUOI?
HEEEEE...

KRiiiiTCH
ガシャ
AAAAARGH !

QU'EST-CE QUE C'EST...?!
C'EST GAARA !!!
MAIS... IL EST MORT !!!!

テク テク
TAPTAP

...!

FUP
スッ

JE LE SAVAIS...
TOUT VA DE TRAVERS.
GRAP
POURQUOI FALLAIT-IL QUE JE DEVIENNE L'UNIQUE MONSTRE ICI ?
QUE SUIS-JE, FINALEMENT ?
IL EXISTE UNE CHOSE, POURTANT... UNE SEULE CHOSE QUI PUISSE SOULAGER LES PEINES DU COEUR.
L'AMOUR.
...
...YASHAMARU...

CHAK
CHAK
HEIN?
CHAK
CHAK
WOOOOP
!!
VRRR...
VRRR...
VRRR...
VRRR...
VRRR...
!!
... QU'EST-CE QUE C'EST ?
POURQUOI ...?!
POURQUOI S'EN PRENDRE À MOI ?
TOUJOURS À MOI !!

FWP
WOOOOO
FWIISH
CHAK
CHAK
CHAK
SCROUITCH
GNUP

QUI EST-CE...?
POURQUOI...?
SLAP
グイ..
...

JE N'EN ATTENDAIS PAS MOINS DE TA PART...
MAÎTRE GAARA...
...YASHAMARU...
KZIM
GNNN...

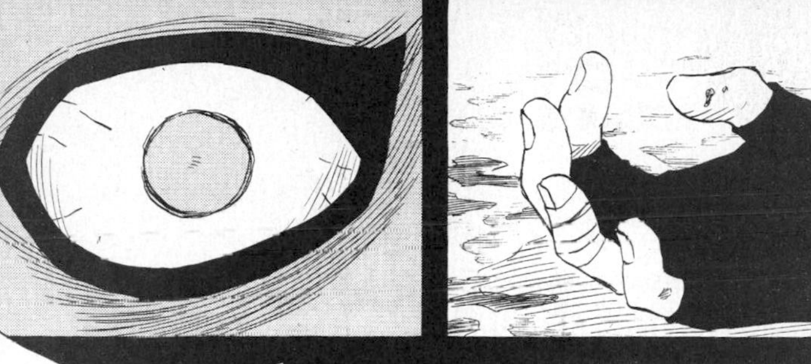

AAAAAAAAH!!!

LE PETIT MONDE DE MASASHI KISHIMOTO

MON PARCOURS 22

AU TERME DE MES SOMBRES INTROSPECTIONS, J'AI DÉCIDÉ DE CONCOURIR POUR UN PRIX DE MAGAZINE SHONEN, CELUI DE WEEKLY JUMP, QUI AVAIT PUBLIÉ JADIS "DRAGON BALL".

TRÈS VITE, JE ME SUIS RETROUVÉ FACE À UN MUR.
MON STYLE GRAPHIQUE N'ÉTAIT PLUS ADAPTÉ AU SHONEN MANGA. BIEN SÛR, CE N'ÉTAIT PAS FLAGRANT, MAIS LE TRAIT DE MES PERSONNAGES NE ME PLAISAIT PAS.
ET PUIS, JE N'ARRIVAIS TOUJOURS PAS À ACQUÉRIR UN STYLE PROPRE ET COHÉRENT.

QUAND ON DESSINE, C'EST LA FORCE EXPRESSIVE DU TRAIT QUI EST LE POINT LE PLUS IMPORTANT. SAVOIR TROUVER "LA LIGNE INTÉRESSANTE", CELLE QUI EST LA PLUS À MÊME D'ANIMER ET D'ORGANISER LES QUELQUES TRAITS D'UN VISAGE EN SD*, VOILÀ CE QUI COMPTE.
C'EST LÀ QU'APPARAÎT LE TALENT DU DESSINATEUR.

J'ÉTAIS DONC À LA RECHERCHE D'UN AUTRE STYLE, D'UNE GRIFFE. JE REGARDAIS AUTOUR DE MOI, MAIS LE PAYSAGE DES MANGAS N'AVAIT RIEN DE NEUF À OFFRIR DEPUIS AKIRA.
J'AI ALORS DÉCOUVERT UN DESSIN ANIMÉ QUI POSSÉDAIT TOUTES LES QUALITÉS QUE JE RECHERCHAIS... UNE VÉRITABLE RÉVÉLATION ! C'ÉTAIT "HASHIRE MELOS".

* SD : Super Deformed. Se dit d'un personnage dessiné de manière caricaturale, avec une grosse tête et un corps miniature. Cette forme graphique est utilisée pour ses ressorts humoristiques.

131e ÉPISODE : "GAARA"...!!

AAAAAAAAH!!!

BRRR!! BRRR!!
BRRR!! BRRR!!
POUR... POURQUOI...?
POURQUOI ?
POURQUOI TOUT ÇA ?
TOI, YASHAMARU ...
... COMMENT AS-TU PU ?!

L'AMOUR... C'EST UN SENTIMENT BIENVEILLANT ET AFFECTUEUX QUE L'ON ÉPROUVE ENVERS LES PROCHES ET LES GENS TRÈS IMPORTANTS POUR SOI.
POURQUOI?
TU M'ES UN ÊTRE TRÈS CHER, GAARA.
(HAA)
...
(HAA)
C'ÉTAIT UN ORDRE.
HAA
TOUJOURS MOI...
ILS S'EN PRENNENT TOUS À MOI.
YASHA-MARU, TU ÉTAIS LA SEULE QUI...
!
J'AVAIS POUR MISSION DE T'ASSASSINER.
...?!

!!
MAÎTRE KAZEKAGE...
L'ORDRE EST VENU DE TON PÈRE...
¡MON PÈRE ?...
BASH
MH...
BWEURK ...!!
SPLASH
HAA
HAA
...

POURQUOI...?
POURQUOI ...?
POURQUOI A-T-IL FAIT ÇA ?
HAA...
IL T'A FAIT POSSÉDER PAR L'ESPRIT DU SABLE...
JUSQU'À PRÉSENT, TU ÉTAIS PLACÉ SOUS OBSERVATION, COMME UN SUJET EXPÉRIMENTAL.
MAIS TU N'ES PAS PARVENU À CONTRÔLER L'ESPRIT VIVANT DE SHUKAKU, SEMBLE-T-IL...
DÉSORMAIS, TU REPRÉSENTES UNE MENACE TROP GRANDE POUR LE VILLAGE.
AINSI, AVANT QU'IL NE SOIT TROP TARD...
HAA...
HAA
...
...
DANS CE CAS...
... TU N'AVAIS PAS LE CHOIX...
SI L'ORDRE VENAIT DE MON PÈRE...

ATTENDS...
NE TE MÉPRENDS PAS...
J'AI BIEN REÇU UN ORDRE DE MAÎTRE KAZEKAGE...
CEPENDANT...
... J'AURAIS PU REFUSER, SI JE L'AVAIS SOUHAITÉ.
!!
...!
GAARA...
AU FOND DE MOI... PROBABLEMENT...
...

JE NOURRISSAIS DE LA RANCOEUR ENVERS TOI.
EN VENANT AU MONDE, TU AS PRIS LA VIE DE MA SOEUR BIEN-AIMÉE ...
...
J'AI ESSAYÉ DE T'AIMER DE TOUTES MES FORCES, DE CHÉRIR EN TOI UNE TRACE D'ELLE...
MAIS JE N'AI PAS PU...
ELLE N'AVAIT PAS SOUHAITÉ TA NAISSANCE...
ELLE A ÉTÉ SACRIFIÉE PAR LE VILLAGE. ELLE EST MORTE EN LE MAUDISSANT.

C'EST À CE MOMENT, JE CROIS...
... QUE J'AI EU UNE PLAIE AU COEUR QUI N'A JAMAIS GUÉRI.
IL N'EXISTE PAS D'ONGUENT CONÇU POUR ELLES... PARFOIS, ON N'EN GUÉRIT JAMAIS.
...
TON NOM...
...TU L'AS REÇU DE TA MÈRE.
"LE NOM DE CET ENFANT SERA GAARA...
LE DÉMON QUI N'AIME QUE LUI..." *
* LE NOM GAARA EST FORMÉ DE 3 PICTOGRAMMES, SIGNIFIANT "JE, SOI, EGO", "L'AMOUR" ET LE "DÉMON" (RA : UN DES COMPOSÉS DU NOM DE ASURA, DÉMON COMBATTANT QUI PROTÈGE LE BOUDDHA).
ELLE SOUHAITAIT QUE TU N'AIMES QUE TOI... ET QUE TU NE TE BATTES QUE POUR TOI-MÊME.
ELLE VOULAIT QUE, PAR CE NOM ET CETTE VOIE, TU VIVES ÉTERNELLEMENT.

MAIS PAS PAR SOUCI POUR TOI.
ELLE NE T'A PAS DONNÉ CE NOM PAR AMOUR...

SI ELLE SOUHAITAIT QUE TU EXISTES POUR TOUJOURS...
... C'EST UNIQUEMENT PARCE QU'ELLE VOULAIT QUE SA HAINE LUI SURVIVE ET QUE LE MONDE NE PUISSE JAMAIS L'OUBLIER.

TU N'AS JAMAIS ÉTÉ AIMÉ...!

...

JIP
PSHHH
BOMBE

C'EST LA FIN...
TU DOIS MOURIR...

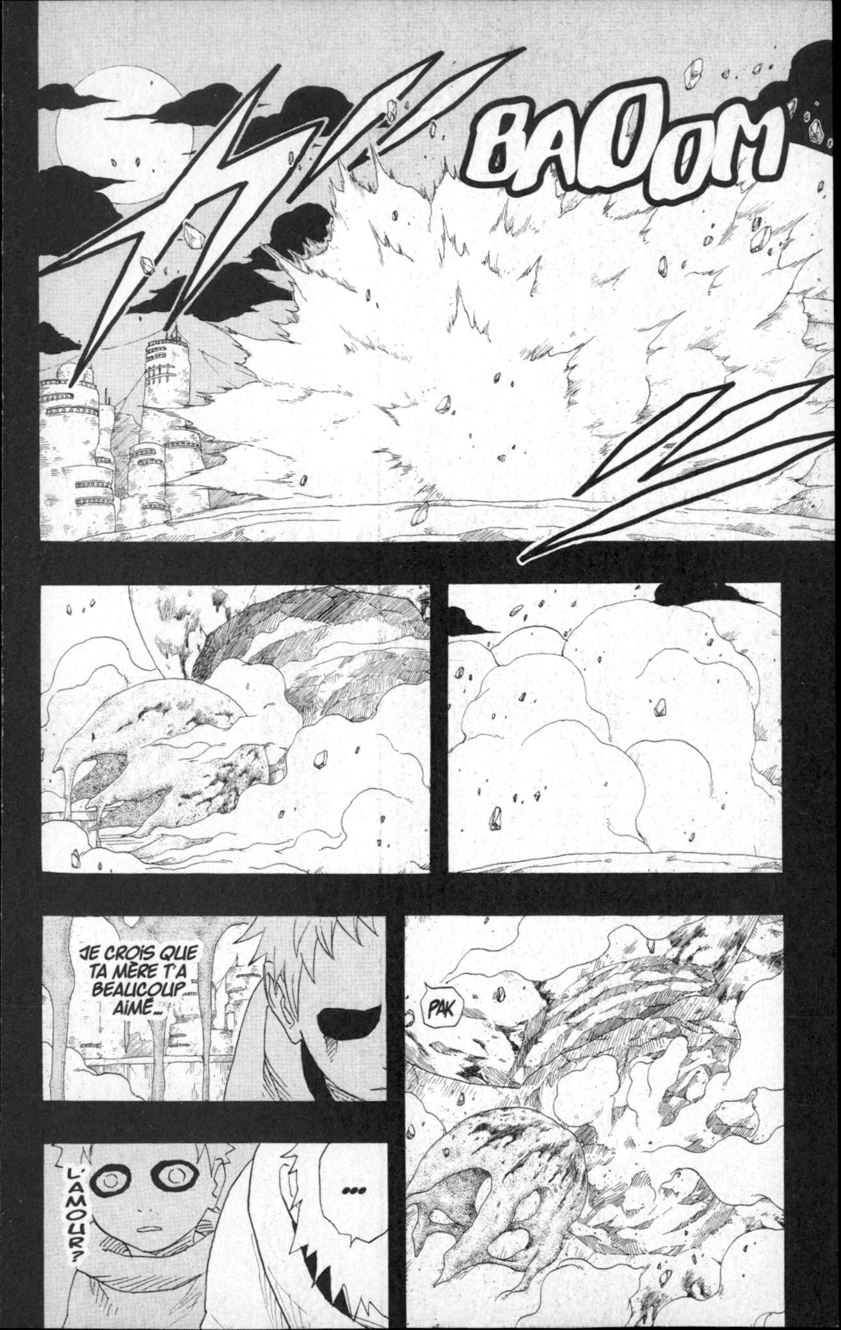
BAOOM
PAK
JE CROIS QUE TA MÈRE T'A BEAUCOUP AIMÉ...
...
L'AMOUR?

POURTANT, LE SABLE T'ASSURE UNE PROTECTION DE TOUS LES INSTANTS, COMME S'IL ÉTAIT IMPRÉGNÉ D'ATTENTION MATERNELLE.
L'AMOUR DE TA MÈRE EST PASSÉ DANS LE SABLE.
HM... M...
AAAAAAA!!!
L'AMOUR...

OUUUOOOOOOOOO!!!

N'AIMER QUE MOI...
NE COMBATTRE QUE POUR MOI...

C'EST ÇA, LE SENS DE "GAARA"...
C'EST DONC CE QUE JE SUIS ?

J'AI ENFIN TROUVÉ LA RÉPONSE...

JE SUIS SEUL.
JE NE CROIS EN PERSONNE, JE N'AIME PERSONNE... JE SUIS SEUL...

HUN HUN... C'EST CELA...
JE SUIS SEUL AU MONDE...

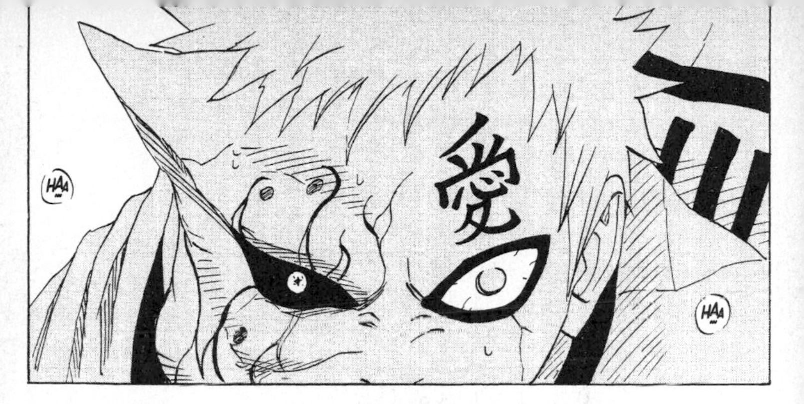
HAA...
HAA...

OH... ENCORE CE REGARD...

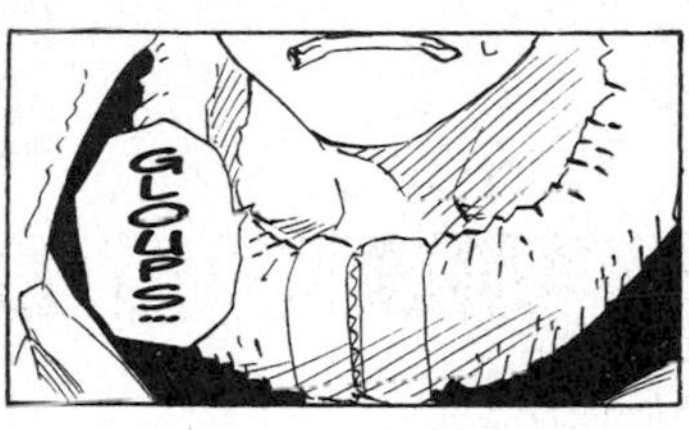
GLOUPS...

...

QU'Y A-T-IL...?
!!
POURQUOI N'AVOIR PAS FUI ?

... POUR SASUKE ...

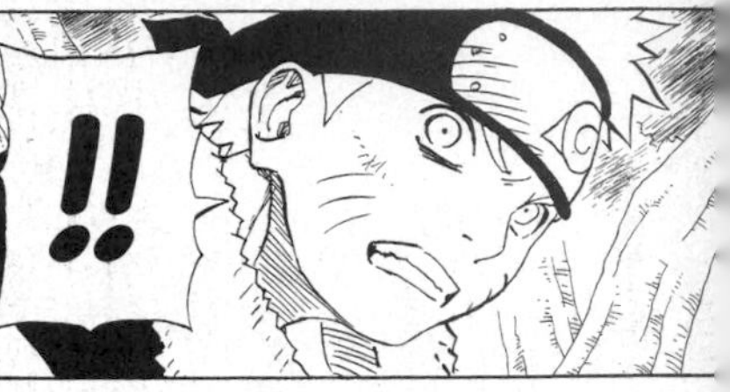
!!

POUR NARUTO...

HUNG...

QUE REPRÉSENTENT-ILS POUR TOI ?

... CE SONT MES CAMARADES !!!
ESSAIE DE LES TOUCHER ENCORE UNE FOIS !!
JE VAIS TE MASSACRER !!!!!!

...

KYAAAAA!!!
GNNN

!!

....!!

ALORS ? TU NE VIENS PAS ME MASSACRER ?

HNG...
AMÈNE-TOI, VITE !

BORDEL!!!
STAP
!
PAMK

FRSHHH...

....!!

...MINCE!!!

...
CE N'EST PAS LE NARUTO HABITUEL.
IL A DÛ SE PASSER QUELQUE CHOSE ENTRE LUI ET L'AUTRE FOU.

REFLECHISSONS !!!
DANS L'IMMÉDIAT, JE DOIS TIRER SAKURA DE CETTE SITUATION !!!!
MAIS COMMENT ?

!

MAIS BIEN SÛR... C'EST CE QU'IL FAUT FAIRE...
MMMH!
!
PAR CONTRE, JE VAIS DÉPENSER BEAUCOUP DE CHAKRA.

PASH
JE N'AI PAS LE CHOIX : IL FAUT QUE JE FASSE APPEL À BUNTA-LE-BOSS !
PASH

INVOCATION !!!
BWoooF

MAIS QU'EST-CE QUE C'EST ? UN GOSSE ?!!
TûTûT, MON POTE ! POUR COMMENCER, FILE-MOI DES BOMBECS !
SINON, JE NE RESTE PAS JOUER AVEC TOI.
...

HEIN ? TU SAIS QUOI ? J'PEUX PAS VOUS SAQUER, VOUS LES GRENOUILLES !
EH, TE MOQUE PAS DES AMPHIBIENS, TU VEUX ?!
KZUM
TSSS...
JE NE SUIS PAS LÀ POUR FAIRE MUMUSE, TÊTARD.

WOOOOO
MALÉDICTION ! QU'EST-CE QUE J'AI ?
JE ME SUIS ENTRAÎNÉ SI INTENSIVEMENT POUR ÇA ?
TES CAMARADES, TU DISAIS ?... LAISSE-MOI RIRE...

MOI, JE NE ME BATS QUE POUR UNE SEULE PERSONNE...
MOI !!!

LE PETIT MONDE DE MASASHI KISHIMOTO

MON PARCOURS 22

Suite

QUELLE HEUREUSE SURPRISE QUE "HASHIRE MELOS" !
UN DESSIN AU STYLE TRÈS PLAISANT, UNE LIGNE FRAÎCHE, DES ANATOMIES IMPECCABLES, AVEC CES MUSCLES, CES CHARPENTES, CES OS...

J'AI TOUT DE SUITE ÉTÉ FASCINÉ PAR LE TRAVAIL DU RÉALISATEUR-SCÉNARISTE-CHARACTER DESIGNER HIROYUKI, UN VÉRITABLE PERSONNAGE !
EN ALLANT AU VIDÉOCLUB À LA RECHERCHE DE SES AUTRES PRODUCTIONS, JE ME SUIS APERÇU QU'ON RETROUVAIT SON NOM UN PEU PARTOUT.
"AH, IL A PARTICIPÉ À CE FILM AUSSI... AH, ET LÀ AUSSI !..."
C'EST À CE MOMENT QUE J'AI COMMENCÉ À M'INTÉRESSER DE PRÈS AUX DESSINS ANIMÉS. JE RETENAIS LES NOMS DES RÉALISATEURS ET DES SCÉNARISTES.

À L'ÉPOQUE, ON VOYAIT BEAUCOUP DE MANGAS ADAPTÉS EN FILMS, ET BIEN SOUVENT, LE TRAIT ÉTAIT MEILLEUR À L'ÉCRAN.
JE DEVAIS EN CONVENIR : IL Y AVAIT PLUS DE GENS DOUÉS PARMI LES ANIMATEURS QUE PARMI LES MANGAKAS.
JE DEVAIS PEU APRÈS RENCONTRER UN DE CES ANIMATEURS... ET EN SUBIR L'INFLUENCE.

C'ÉTAIT LE RÉALISATEUR ET CHARACTER-DESIGNER D'UNE SÉRIE TRÈS CÉLÈBRE QUI PARAISSAIT EN FEUILLETON DANS JUMP, UNE HISTOIRE DE NINJAS, "NINKÛ" . SON NOM : TETSUYA NISHIO.

132e ÉPISODE :
TÉNÈBRES ET LUMIÈRE

UUUOOOOOOH!!!
XYY XYY
VRUUUP

IL CHANGE ENCORE DE FORME...

SBRUTCH

BUP !

TU DEVRAS M'ABATTRE POUR LIBÉRER CETTE FILLE.
WOOO...
PLUS LE TEMPS PASSE, PLUS LE SABLE RESSERRE SON EMPRISE SUR ELLE. JE VAIS LA BROYER LENTEMENT.
愛

HUNG !...
SAKURA...

JE FERAIS MIEUX DE M'ENFUIR...
... AVANT QU'IL N'ENTAME "LE SOMMEIL DU TANUKI".

IL SE RAPPROCHE PEU À PEU DE LA FORME DÉFINITIVE...

愛

...
CES YEUX...

WRUUUUUU
WRUUUUUU
ZOP スッ..

LES SHURIKEN DE SABLE !!!!
ZAM

!

PLATCH
パシィ
!!

GNNN...
グッ

KBOM
!

UGH...

HUMPF !!

PAK
PAK
SBOM

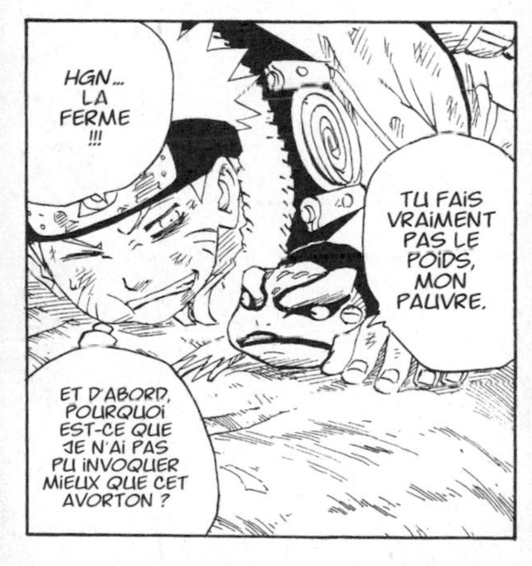
TU FAIS VRAIMENT PAS LE POIDS, MON PAUVRE.
HGN... LA FERME !!!
ET D'ABORD, POURQUOI EST-CE QUE JE N'AI PAS PU INVOQUER MIEUX QUE CET AVORTON ?

!!
MAIS, C'EST QUOI, CETTE CHOSE ?!

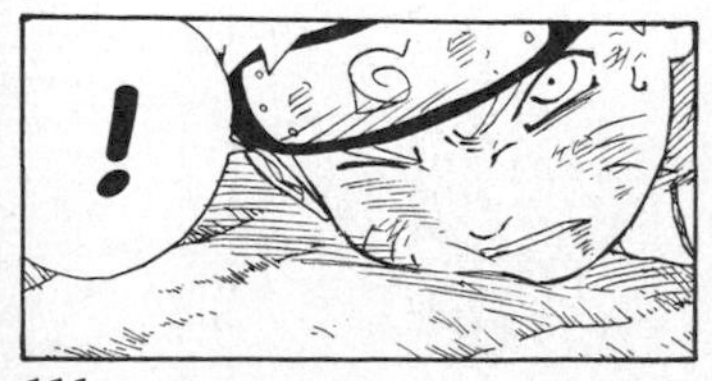
!

HM... SES YEUX SONT D'UNE TELLE TRISTESSE ...
...

ON Y LIT LA SOLITUDE ...

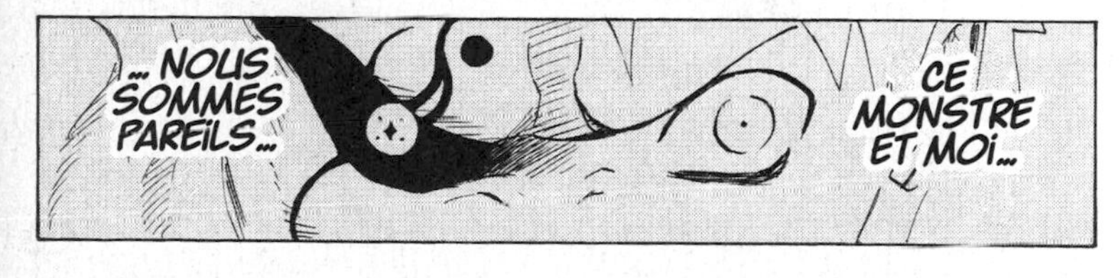
CE MONSTRE ET MOI...
... NOUS SOMMES PAREILS...

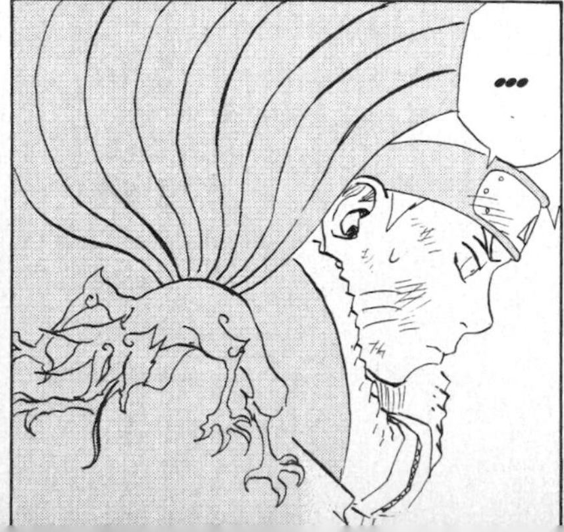
...

ILS M'ONT TOUJOURS DÉTESTÉ.
JE ME DEMANDAIS CE QUI ME VALAIT CETTE HAINE, QUI J'ÉTAIS, ET SURTOUT POURQUOI J'EXISTAIS...

ÇA VEUT TOUT SIMPLEMENT DIRE QUE...
... C'EST TOI LE RENARD À NEUF QUEUES QUI A DÉVASTÉ LE VILLAGE !!
TOUS LES HABITANTS DU VILLAGE T'ONT MENTI PENDANT 12 ANS !

QUAND J'AI SU QUE J'AVAIS UN DÉMON EN MOI, J'AI RÉALISÉ À QUEL POINT LE REGARD DES GENS ÉTAIT FROID.
J'EN AI VRAIMENT BAVÉ...

...
CEPENDANT...

NARUTO ! ÇA FAIT LONGTEMPS ! ALLONS PRENDRE UN BOL DE NOUILLES.
YEAAAH ! SAVEZ QUOI ? JE VAIS PRENDRE UNE MÉGAPORTION AVEC DU PORC.

HUM ! SI TU VEUX ME BATTRE, RETOURNE T'ENTRAÎNER, MINABLE.
LA FERME ! JE NE PEUX PAS PERDRE FACE À TOI !

DIS, NARUTO, QU'EST-CE QUE SASUKE PENSE DE MOI ?
IL NE M'A RIEN DIT EN PARTICULIER. MAIS TU NE VEUX PAS PLUTÔT SAVOIR CE QUE JE PENSE DE TOI, MOI ?

HM... NARUTO. SI TU CONTINUES DE NE MANGER QUE DES NOUILLES ET DE LA PÂTE DE HARICOT ROUGE, TU VAS TOMBER RAIDE MORT. POUR DE BON. ♡
UN NINJA DOIT MANGER PLUS DE LÉGUMES. ALORS TU VAS ME FAIRE LE PLAISIR D'AVALER ÇA.
MANGE DES LÉGUMES ! KAKASHI
HEIN ? MAIS JE N'AIME PAS ÇA !

CERTAINES PERSONNES M'ONT ADMIS PARMI ELLES.
VOILÀ COMMENT...

... JE ME SUIS FAIT À L'IDÉE D'AVOIR UN DÉMON EN MOI ET QUE J'AI PU ENDURER LE REGARD FROID DES AUTRES HABITANTS DU VILLAGE.

ET NON...
... JE NE SUIS PLUS SEUL !!!

SI JE REPENSE AU PASSÉ, J'EN AI LA NAUSÉE...

IL NE S'AGIT PAS D'UN SIMPLE MAUVAIS SOUVENIR ; C'EST UN POIDS QUI VOUS PLONGE DANS LES TÉNÈBRES.

D'UN COUP, J'ÉTAIS DEVENU UNE RELIQUE DU PASSÉ QU'ILS SOUHAITAIENT TOUS VOIR DISPARAÎTRE.

JE ME SUIS DEMANDÉ POURQUOI J'EXISTAIS.

ET JE SUIS PARVENU À UNE CONCLUSION.

J'EXISTE POUR TUER TOUS LES ÊTRES HUMAINS AUTOUR DE MOI.

JE NE SAIS PAS PAR QUELLES ÉPREUVES IL EST PASSÉ...
... MAIS J'IMAGINE QU'IL EST RESTÉ TOUT SEUL DANS L'OBSCURITÉ, SANS QUE JAMAIS PERSONNE NE VIENNE LE SOULAGER DE SON FARDEAU.

POUR LUI, JE NE SUIS QU'UN INSECTE INSOUCIANT; VIVANT DANS UN MONDE IDYLLIQUE, SANS TENSION, ENTOURÉ ET RECONNU PAR MES SEMBLABLES.

EST-CE QUE JE PEUX VAINCRE UN ADVERSAIRE COMME LUI ?
GNNN...

UGH...

... HGN ...

ALORS, TU AS PEUR ?
!

LA QUESTION EST : SE BATTRE POUR SOI...
... OU POUR LES AUTRES...
HGN...
N'AIME QUE TOI !
NE TE BATS QUE POUR TOI !
C'EST LA DEVISE DES PLUS FORTS !!
愛
...
ALLEZ, BATS-TOI CONTRE MOI !!
MONTRE-MOI TA FORCE, COMME LORSQUE TU AS VAINCU HYÛGA !!
GNUP
JE VAIS ANEANTIR CETTE FORCE.

...

ALORS, QUE SE PASSE-T-IL ?
SI TU RENONCES À M'AFFRONTER, JE TUERAI CETTE FILLE.

GNUPS

HAA
HAA
...HNG...
ZIP

MERDE!!!
DASH

* ART DE MANIPULER LE VENT.

FFFFF...
ズルゴーウ。。。

ÇA MARCHE VRAIMENT BIEN, SON TRUC..!!
HUGH!!

D'ABORD, JE VAIS M'AMUSER AVEC TOI, SANS TE TUER.
JE GOÛTE DÉJÀ LE PLAISIR DE TE VOIR ABANDONNER TES CAMARADES ET T'ENFUIR.
JE NE LAISSERAI TOMBER PERSONNE.

...
スッ
ZOP

HUM!!!
Krumb
Krumb

BAAM
URGH!!!

...

...
...MAIS...
VRRR...
...QU'EST-CE QUE J'AI ?

CE N'EST PAS FINI !!!
FWOOOOSH

CHAK

HUNG!!!
SDOBMA

TOMP

...
FWIIISH
TSSS...
LES SHURIKEN DE SABLE !!!!
ZOP
スッ
...
C'EST QUOI... CETTE SENSATION ?
TOMP
ドッ
GWARGH!!!
TOMP
ドッ

...!

MINCE...
MINCE...
SBOM

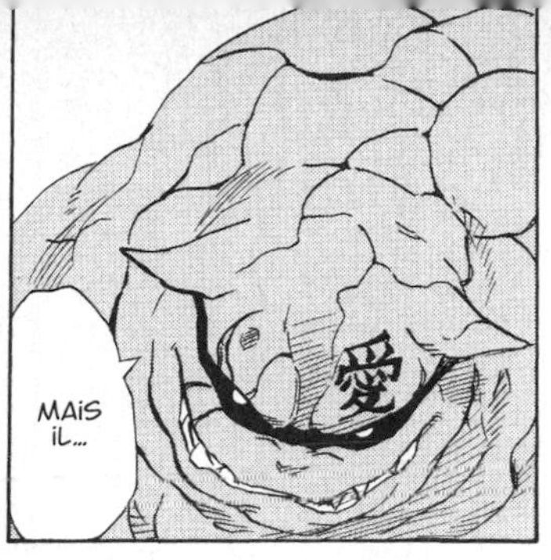
MAIS IL...

IL...
...
...
...

...
QU'EST-CE QUE C'EST ? CE SENTIMENT QUI MONTE EN MOI ...?

BRR... BRR...
POUR UNE RAISON QUE J'IGNO-RE...
TOUS, SAUF LUI...

KZUM

JE NE RECULERAI PAS, MÊME SI JE DOIS MOURIR.

LE PETIT MONDE DE MASASHI KISHIMOTO

MON PARCOURS 22

Suite

À L'ÉPOQUE, JE COPIAIS BEAUCOUP LE STYLE D'OKI'URA ET DE KOJI MORIMOTO, DES AUTEURS D'ANIMÉS QUE J'APPRÉCIAIS PARTICULIÈREMENT, SANS POUR AUTANT RÉUSSIR À DÉTACHER MON STYLE GRAPHIQUE DU GENRE SEINEN.
UN JOUR, J'ACHÈTE UNE REVUE ET J'APPRENDS QUE "NINKÛ" ALLAIT PASSER À LA TÉLÉVISION. LE JOUR J, JE M'ACHÈTE UN BENTO AU SHAKE* ET ME METS DEVANT MON POSTE. LE DESSIN ANIMÉ COMMENCE... QUEL CHOC ! J'AI REGARDÉ L'INTRODUCTION ET LE GÉNÉRIQUE D'OUVERTURE COMPLÈTEMENT MÉDUSÉ. J'EN AI MÊME OUBLIÉ DE MANGER. PIRE, MÊME : TOUT LE TEMPS DU DESSIN ANIMÉ, J'AI GARDÉ EN BOUCHE LES BAGUETTES EN BOIS DU COMBINI. NORMALEMENT, LES DEUX BAGUETTES SONT FOURNIES ENCORE SOLIDARISÉES, ET ON LES SÉPARE D'UNE MAIN TOUT EN LES MORDANT. CE SOIR-LÀ, J'ÉTAIS SI ABSORBÉ PAR CE QUE JE VOYAIS QUE JE N'AI JAMAIS TERMINÉ CE GESTE ESSENTIEL...
POUR EN REVENIR À "NINKÛ", IL N'Y AVAIT QU'UN SEUL MOT POUR LE QUALIFIER : ÉPOUSTOUFLANT ! DES SD INCROYABLES, UN STYLE ORIGINAL, UN SENS DU DESSIN À COUPER LE SOUFFLE, ET, PAR-DESSUS TOUT, UN MIX PARFAITEMENT RÉUSSI ENTRE LES STYLES SHONEN ET SEINEN. TOUT CE QUE J'ATTENDAIS D'UN DESSIN : L'IDÉAL ! "VOILÀ ! C'EST ÇA !" AI-JE PENSÉ.

JE ME SUIS MIS À IMITER LES DESSINS DE NISHIO, DONT ON PEUT DIRE QU'IL EST LA SOURCE D'INSPIRATION PRINCIPALE POUR "NARUTO". C'EST D'AILLEURS LUI, VOUS LE SAVEZ, UN DES CHARACTER-DESIGNERS DE LA VERSION ANIMÉE DE NARUTO ! UN ARTISTE DONT J'ADMIRAIS TANT LE TRAVAIL, COLLABORE À MON PROJET ! QUEL BONHEUR ! QUAND NOUS AVONS CONCLU L'ACCORD, J'AI LEVÉ UN POING EN SIGNE DE VICTOIRE, INCONSCIEMMENT... J'AVAIS RÉALISÉ UN DE MES RÊVES. UN AUTRE CHARACTER-DESIGNER EST HIROFUMI SUZUKI. IL A TRAVAILLÉ SUR DES SÉRIES QUE J'APPRÉCIE ÉNORMÉMENT.
JE SUIS UN HOMME COMBLÉ, MAIS JE N'ARRIVE PAS À CACHER MA HONTE À CHAQUE FOIS QUE JE DOIS MONTRER MON TRAVAIL À CES PROFESSIONNELS SI TALENTUEUX...

* Saumon séché et salé.

133e ÉPISODE : LA VÉRITABLE FORCE...!!

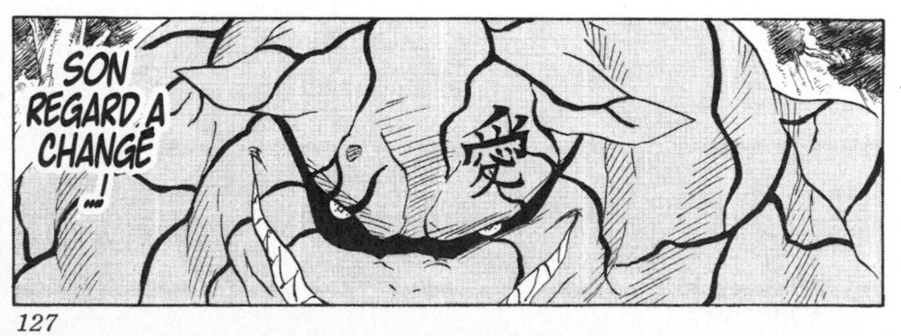

HUNG...
GNNN...

SAKURA...

EH BIEN ? TU T'ES LANCÉ À MA POURSUITE ET C'EST TOUT CE QUE TU PEUX FAIRE ?
TU ES INCAPABLE DE ME TOUCHER...
... C'EST PATHÉTIQUE ...!

FWP

ZP

* EXPLOSIF

JE NE SAIS PAS JUSQU'OÙ JE PEUX ALLER. C'EST VRAI, MAIS...
VROL
!
FWAP
JE VAIS FAIRE TOUT CE QUE JE PEUX.
POF
POF POF
FWAP
POF
MULTICLONAGE !!!
DASH
DASH
C'EST PARTI !!!
VOILÀ POUR TOI, EN EXCLUSIVITÉ, MA TECHNIQUE SECRÈTE DE TAIJUTSU !!
DASH
DASH

BUNSHINTAI ATARI !! LE LANCER DU CLONE !!
TOMP
Fwush

MAINTENANT!!!
O.K.!!!
GNUP
GNUP
DASH
YAAAAA!!!
FWOOM
ENCORE!!!
FWAP

POF
TOMP!
CLONAGE!!!
!
RLLL
VRLLL
ENCORE UNE FOIS ! CLONAGE !!!!
TOP
POF

HGN...

BOUFFE ÇA !!
JE TIENS CETTE TECHNIQUE DE MAÎTRE KAKASHI... UN DES ARCANES SECRETS DE LA PUISSANCE DE KONOHA !

SENNEN GOROSHI !! 1000 ANS DE SOUFFRANCES !!!!
SLASH

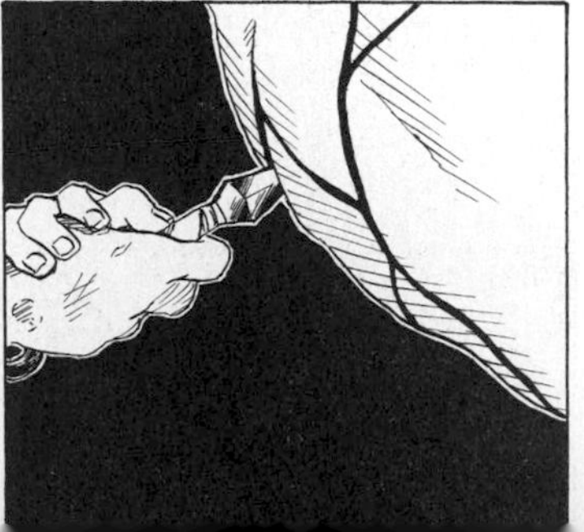

...
...

KBAAM

SHHHH...

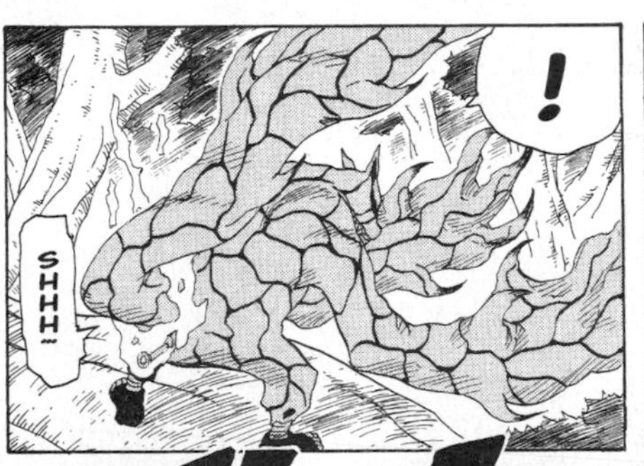
!
SHHHH...

...BOOM!!!
BOOM

HMPF!!!
GWAH!!!
STAK
TOM
TOM

!
C'ÉTAIT UN COUP DE MAÎTRE... ABSOLUMENT ADMIRABLE ! ET SASUKE QUI EST PARVENU À LE RÉCEPTIONNER, MALGRÉ SON ÉTAT !

GA... GAARA ...
...

...
IL S'EST DÉBARRASSÉ DE LUI ?

愛

ARGH... JE PRENDS TOUJOURS SOIN DE CACHER MA QUEUE, C'EST LA PARTIE LA PLUS DIFFICILE À PROTÉGER. ET C'EST LÀ QU'IL A VISÉ...
TSSS...
JE NE SUIS PAS BLESSÉ. MAIS JE N'AI PAS PU PARER SON ATTAQUE COMPLÈTEMENT...

(HHH)
(HHH)
SASUKE...!

HÉ... TU ES ENFIN REDEVENU LE NARUTO QU'ON CONNAIT TOUS...
PAR CONTRE, MALGRÉ TOUS CES EFFORTS, TU N'AS RÉUSSI À LE TOUCHER QU'UNE SEULE FOIS.
HHH...
HHH...

ESSAIE DE FAIRE MIEUX... CETTE FOIS, JE NE SERAI PAS LÀ POUR T'AIDER COMME AU PAYS DES VAGUES.
RIGOLO.
OH, LA FERME...

(HAA)
JE L'AI SOUS-ESTIMÉ, ON DIRAIT... BAH, DE TOUTE FAÇON...
TOUT S'ARRÊTE ICI...

EH... NARUTO.
...!
HÂA
HÂA

INVENTE CE QUE TU VEUX...
... MAIS SAUVE SAKURA !!!
HÂA
HÂA

...!!

URGH...
JE SAIS QUE TU EN ES CAPABLE...

!!

ET PUIS... QUAND TU L'AURAS TIRÉE DES GRIFFES DE CE DÉMON...
... PRENDS-LA SUR TES ÉPAULES ET ENFUIS-TOI LE PLUS VITE POSSIBLE...
FRRR...
SA-SUKE, MAIS ENFIN ...

JE SERAI EN MESURE DE LE RETARDER UN PEU ICI ...
SI MON PARCOURS S'ARRÊTE ICI, C'EST QUE JE NE DEVAIS PAS ALLER AU-DELÀ.

BRR...
...

JAMAIS PLUS...

UNE FOIS DÉJÀ, J'AI TOUT PERDU... JE NE VEUX PLUS VOIR MOURIR SOUS MES YEUX...
... DES AMIS QUI COMPTENT TANT POUR MOI...

...!

... DES AMIS... QUI COMPTENT TANT POUR MOI...

...

FWOOSH

...
AH...?

JE NE LAISSERAI JAMAIS MOURIR MES AMIS !!!

...
C'ÉTAIT DONC ÇA...

!

NOTRE RESSEMBLANCE ME TROUBLAIT ...
... IL A CONNU LA MÊME TRISTESSE ET LA MÊME SOLITUDE QUE MOI...
JE M'ÉTAIS IMAGINÉ QU'EN NE SE BATTANT QUE POUR LUI-MÊME, GAARA AVAIT TROUVÉ L'ACCÈS À UNE SOURCE DE FORCE INVINCIBLE.
ズッ
ZOP

!
HAA
HAA
NARUTO...

MAIS JE ME TROMPAIS...
ON NE DEVIENT PAS VRAIMENT FORT EN NE SE BATTANT QUE POUR SOI.

... Y A-T-IL...

... UNE PERSONNE À LAQUELLE TU TIENS ?

LES HOMMES DEVIENNENT VRAIMENT FORTS...

...

ZUP

TU DEVIENDRAS FORT...
ズオオオ
ZWOO...
HUNG?
HAAAAAAAA...
...ÄÄÄÄÄÄÄÄÄÄ!!!
FRRR...
FRR...
QUELLE FANTASTIQUE QUANTITÉ DE CHAKRA ! C'EST... C'EST...

NARUTO?!
JE VOUS PROTÈGERAI COÛTE QUE COÛTE !!

ZAAM
MULTICLONAGE SUPRA!!!

!!

!

!
!

!!

BAH VOILÀ, QUAND IL VEUT !!!

* JEU DE MOT : TOURBILLON = UZUMAKI.

134e ÉPISODE : LE RÉPERTOIRE NINPÔ DE NARUTO !!

D'OÙ... D'OÙ SORTENT TOUS CES CLONES ...?!

QU... QU'EST-CE QUE C'EST QUE ÇA ?!

FA... FABULEUX...

...
C'EST TOI QUI AS FAIT ÇA ?

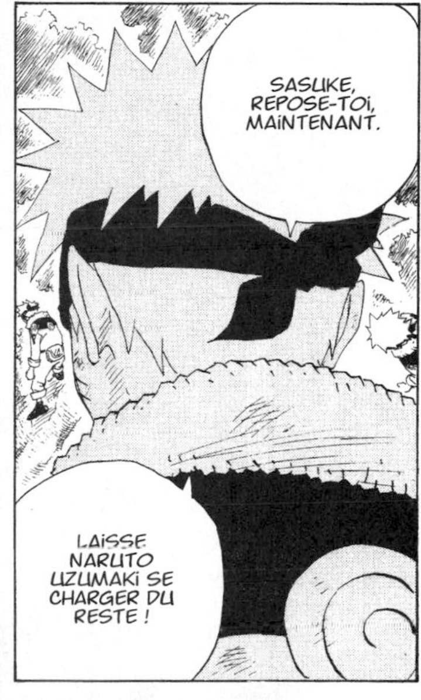
SASUKE, REPOSE-TOI, MAINTENANT.
LAISSE NARUTO UZUMAKI SE CHARGER DU RESTE !

...
JE RÊVE ...
HÂA

TOUS ENSEMBLE !!!
ALLONS-Y !!!

COMMENT EST-CE POSSIBLE ?

!!

PAR LA VOIE DES AIRS !!!
FWAP

FWOOOOSH
WAM
LE RÉPERTOIRE NINPÔ DE NARUTO !!!!

!!
JE NE PEUX PAS ENCORE ME MOUVOIR APRÈS SON ATTAQUE...
JE DOIS ME PROTÉGER AVEC LE SABLE !!

KLING
GATCH
LE TOURBILLON DE SHURIKEN DES 4 POINTS CARDINAUX !!!
GATCH
GATCH

Fwijish
Fwijish
Fwijish
ZAM
Fwijish
Fwijish
Fwijish
Fwijish
Fwijish
Fwijish
Fwijish
!!
BRAM
U!!!
ZU!!!
MA!!!
KI!!!

CHAK CHAK
LA NARU-TORNADE ...
CHAK CHAK
CHAK CHAK
CHAK CHAK
CHAK
CHAK

!

... DES 2000 POINGS !!!

PTAM!!!
SBRAAAAM
URGH... COMMENT A-T-IL FAIT...?
... SI SOUDAINEMENT ...

OH LÀ ! C'EST LOIN D'ÊTRE FINI !!
CETTE FOIS-CI, JE VAIS UTILISER LES PIEDS ! C'EST PARTI POUR 4000 MILLE COUPS DE TATANE !

C'EST DE LA FOLIE ! DANS CETTE POSTURE, GAARA RISQUE DE...

JE NE PEUX PAS PERDRE FACE À LUI.

ÇA Y EST ! C'EST ARRIVÉ...
UUUOOOOOOOOOH!!!
TU CROIS VRAIMENT POUVOIR ME VAINCRE ?
POF POF
POF
POF
POF
POF
DOKAM

MON DIEU... QU'... QU'EST-CE QUE C'EST ?
GLOUPS

...!

GULP !
L'ENNEMI NE SE DÉFEND PAS MAL NON PLUS !

IL Y EST PARVENU ...

FORME DÉFINITIVE !!

C'EST DONC... LE DÉMON QUI SOMMEILLE EN LUI...
IL EST GIGANTESQUE...

WOOOM
CRAAACK
FFFF...
!!
HAA
HAA
WHAAAAA!!!
VRUP
WOOOo
MALÉDICTION... J'AI ÉPUISÉ TOUT MON CHAKRA AVEC LE CLONAGE !

!
NARUTO!!!

!!

...
ズズズズ
WWWOoo
ズ
WWWOoo
WWOo
ズズズズ
ズズズ
WWWOoo
COCHON... CHIEN... COQ... SINGE... MOUTON.
MINCE ! JE NE PEUX TOUJOURS PAS BOUGER ...!!
KZIM
KZIM
KZIM
¡MPENSABLE ! DIRE QUE, FORME APRÈS FORME, TU M'AS POUSSÉ DANS MES DERNIERS RETRANCHE-MENTS... HÉLAS, LES JEUX S'ARRÊTENT ICI, POUR TOI.
LE SARCOPHAGE DE SABLE !!!!

LE TOMBEAU DU DÉSERT !!!
INVOCATION !!!!!!
BOW

WOOOM
ズ

JE DOIS SAUVER SAKURA COÛTE QUE COÛTE !!
QUE SE PASSE-T-IL ? TOI, ENCORE ?!!
QU'EST-CE QUE TU ME VEUX, BON SANG ?!
EXCELLENT ! MON ENTRAÎNEMENT A ENFIN PORTÉ SES FRUITS ! EN AVANT !!
GNNN

...!
MAIS...

ÇA NE FAIT AUCUN DOUTE, C'EST L'ESPRIT DE SHUKAKU...
ROI DES BATRACIENS, COMBATTEZ CETTE CRÉATURE AVEC MOI !!
JE VOUS LE DEMANDE HUMBLEMENT !!!!
HAA
NARUTO UZUMAKI... MAIS QUI EST-IL RÉELLEMENT ?
ÇA COMMENCE À DEVENIR INTÉRESSANT.

GLUP
GLUP
...
... NARUTO... COMMENT AS-TU FAIT CELA ?

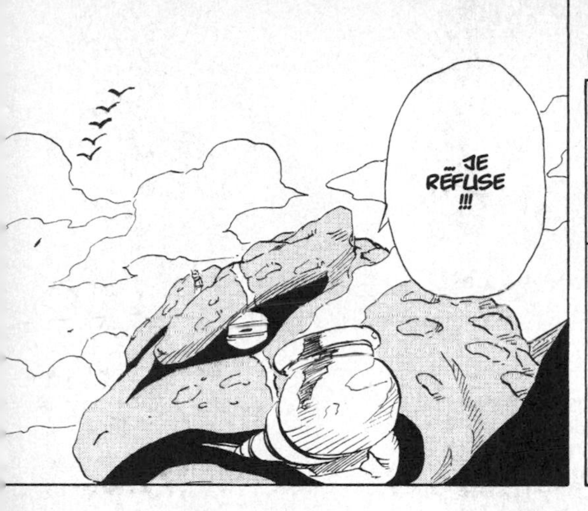
... JE REFUSE !!!

HEIN?

ET POURQUOI ÇA, BON SANG ?!
VOUS AVEZ PROMIS DE FAIRE DE MOI VOTRE DISCIPLE, LA DERNIÈRE FOIS.
ギャー ギャー
GYAAAH! GYAAAH!

C'EST BIEN LE DEVOIR DU MAÎTRE QUE D'AIDER UN DISCIPLE EN DIFFICULTÉ, NON ?!!
VOUS NE RESPECTEZ PAS LE CODE D'HONNEUR ?!
BAM
BAM

C'EST VRAI QUE J'AI FAIT LA PROMESSE. MAIS IL FAUT ENCORE QUE JE BOIVE AVEC TOI LA COUPE DE L'AMITIÉ, AVANT TOUTE CHOSE.
PEUT-ON M'EXPLIQUER QUI M'A COLLÉ UN IDIOT PAREIL ?!

BOING
BOING
ピョ
ピョン
QUELLE CONNERIE MONUMENTALE ! ET EN PLUS, JE N'AI PAS ENCORE 18 ANS !
JE NE PEUX PAS BOIRE D'ALCOOL.

TOMP
!

PAPA !!!
HEIN ?
PAPA ?!

FAIS CE QU'IL DEMANDE, SANS DISCUTER, S'IL TE PLAIT !
IL M'A SAUVÉ LA VIE !!!

QU'EST-CE QUE TU FAIS LÀ, TOI ?
GAMA KITCHI !!!

JE M'ENNUYAIS ET JE SUIS VENU M'AMUSER AVEC LUI !
OCCUPE-TOI PLUTÔT DE CETTE CHOSE-LÀ. ELLE A ÉTÉ MÉCHANTE AVEC MOI !

KZUM
QUOI ?

CHAK
... GAMIN... JE TE RECONNAIS COMME MON DISCIPLE AUTHENTIQUE.
JE VAIS TE MONTRER MON SENS DE L'HONNEUR !!!!

HEIN ? C'EST TON PÈRE ?
PARFAITEMENT !!!

...
ZWOOOOSH
JE VAIS TE RENDRE LA MONNAIE DE TA PIÈCE, POURRITURE !!!

BAH, VOiLÀ, QUAND iL VEUT !

135e ÉPISODE :
UN CHOC DE TITANS !

ZUUU
!
BROLL
WHAA!!!
ACCROCHEZ-VOUS BIEN !!!
GWORGH

BRAAAAM !!

!
GAMA DOSUJIN !! LA LAME MEURTRIÈRE DU CRAPAUD !!!!!!!!!

ZLAAAASH
QUELLE FORCE ! IL A PROJETÉ SI LOIN UN SABRE D'UN TEL POIDS !
C'EST TOUT SIMPLEMENT INCROYABLE...
FWOOOM
VRAAM

BROM
Fwuuush
GWAH !
WHA!!!
WOUF !
CHOOOK

...
SI JE NE LE SUPPRIME PAS TOUT DE SUITE, IL VA ENCORE CHANGER DE FORME.

HEP ! HEP ! BOSS !
DE L'AUTRE COTE, IL Y A SAKURA, IL NE FAUT PAS SE BATTRE PAR LÀ !! ATTIRONS-LE ICI !

...
SAKURA?

“UNE AMIE TRÈS CHÈRE”.
COMPRIS, PAPA ?

IL FAUT ÉCRASER CE MONSTRE !!!
SAKURA EST EN DANGER !!!

...

HUM...
C'EST TRÈS EXCITANT, TOUT CELA !
NARUTO UZUMAKI !!!
WOOOOOO

WOO! WOO!

ズズズズズ

MAIS, C'EST...
...!

CE N'EST PLUS QU'UN FANTÔME DE LUI-MÊME...

!!
IL Y A DANGER... GAARA VA LE FAIRE... IL FAUT S'ENFUIR, VITE.

Frush

JE TIENS À VOUS REMERCIER POUR M'AVOIR TANT DIVERTI JUSQUE-LÀ.
VOUS ALLEZ POUVOIR CONTEMPLER LA VÉRITABLE FORCE DE L'ESPRIT DU SABLE.

...

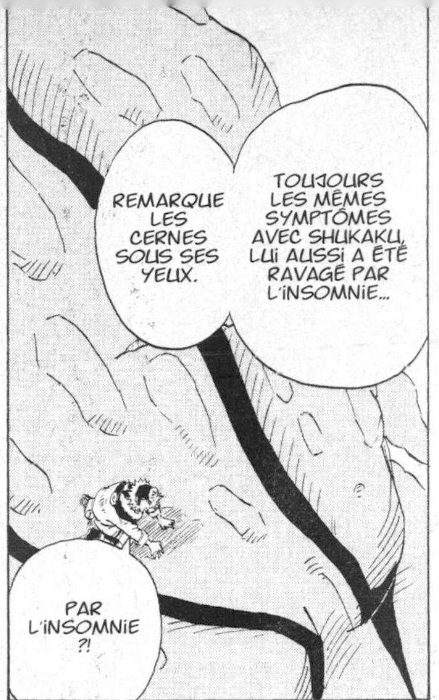

* RATON LAVEUR (NYCTERELITES PROCYONOIDES) QUE L'ON TROUVE DANS LES FORÊTS DU JAPON. LES CONTES ET LES MYTHES LUI PRÊTENT DE NOMBREUX POUVOIRS MAGIQUES.

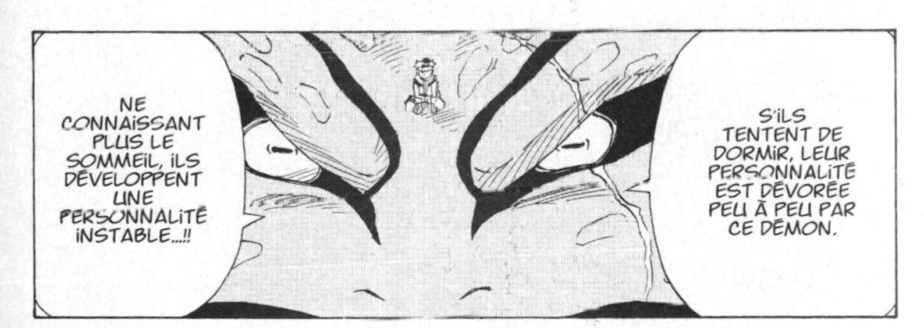

* SE DIT D'UN SOMMEIL FACTICE.

TOOOM
RENKÛDAN ! DISTORSION DE L'AIR !
IL FAUT SE DÉGAGER !!!
GWAAAAAH!
BROOOOOOOOOM

* ART D'UTILISER L'EAU.

BAAASH
FRRRRR
FRRRRR
ILS SE LIVRENT UNE BATAILLE PHÉNOMÉNALE...
ON JURERAIT UNE TEMPÊTE...
ATTENTION ! MAÎTRE !!
IL EN RESTE UNE !

HUNG !!

PAOM
VRAAAM
YEAAAAAAH !!!
JE L'AI TUÉ ! JE L'AI TUÉ !!!!
ZOOM
!
ÇA FAIT MAL ! MAIS TU AS DÉPENSÉ UNE TELLE DOSE DE CHAKRA DANS CETTE ATTAQUE, ABRUTI !

MÊME MOI, JE NE PEUX PAS ESSUYER BEAUCOUP DE COUPS COMME CELUI-LÀ !
QU'EST-CE QU'ON PEUT FAIRE ?!

IL FAUDRAIT RÉVEILLER LE SPECTRE DE GAARA !!
CELA METTRAIT FIN AU "SOMMEIL DU TANUKI"...
TOM
TOM

COMMENT ?!

IL FAUT D'ABORD SE RAPPROCHER ET IMMOBILISER CE TANUKI DE MALHEUR...
... ET PROFITER DU CORPS À CORPS POUR FAIRE REPRENDRE SES SENS À GAARA.

ET PLUS PRÉCISÉMENT ?

POUR COMMENCER, JE SUIS UN CRAPAUD, GAMIN. JE N'AI PAS DE GRIFFES OU DE CROCS POUR LE FERRER !!

IL VA FALLOIR QUE JE ME MÉTAMORPHOSE. JE PRENDRAI LA FORME DE QUELQUE CHOSE QUI POSSÈDE CES ATTRIBUTS.

GH...!

ET... LA TECHNIQUE DE LA MÉTAMORPHOSE N'EST PAS MON FORT !
DONC, C'EST À TOI DE JOUER, NARUTO : EXÉCUTE LES SIGNES INCANTATOIRES, PUISE DANS MON CHAKRA ET ACCOMPLIS MA VOLONTÉ !!!!
UNE MÉTAMORPHOSE COMBINÉE !!!

J'IMAGINE QUE TU N'AS PLUS UNE GOUTTE DE CHAKRA APRÈS M'AVOIR INVOQUÉ, PAS VRAI ?
FWAP

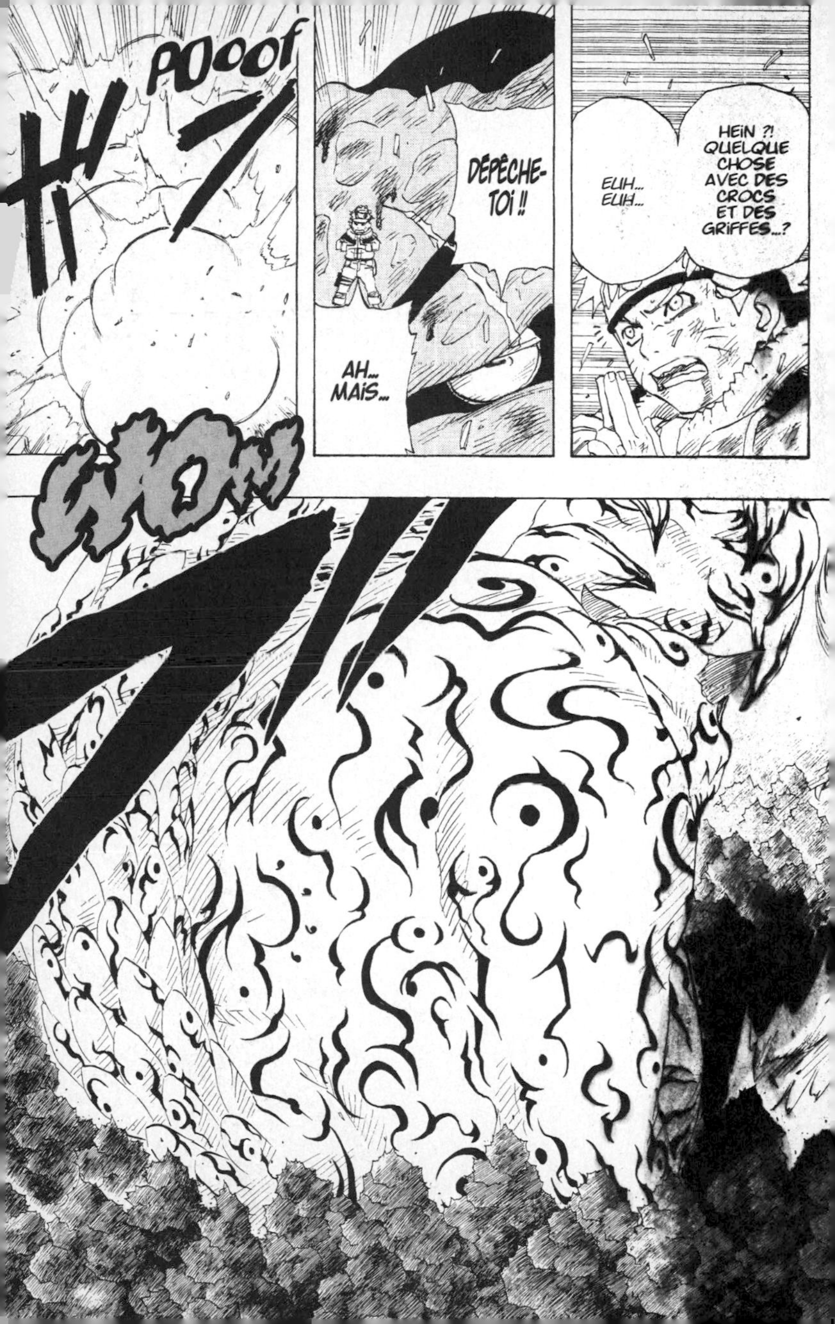
HEIN ?! QUELQUE CHOSE AVEC DES CROCS ET DES GRIFFES...?
EUH... EUH...
DÉPÊCHE-TOI !!
AH... MAIS...
POOOF
WOM

DOAKM
ANNNGH !
GRAP
UN RENARD ?!
MHUUUU!!!

VOLUME 15 " LE RÉPERTOIRE NINPÔ DE NARUTO !! " (FIN)

Vous aimez “Naruto”? Ces pages sont les vôtres.
Vous voulez en parler? Ces pages sont encore les vôtres.
Vous avez réalisé des dessins et vous voudriez les partager avec d’autres? Ces pages sont toujours les vôtres!
Comme dans tous les autres mangas de la collection Kana, les lecteurs ont la parole.
Nous attendons vos lettres et vos dessins avec impatience!

Deux adresses : KANA,
15/27 rue Moussorgski - 75018 Paris - France
ou 7 avenue Paul-Henri Spaak - 1060 Bruxelles - Belgique

Julien M. - Chamonix

Mélissa Rémillard - 17 ans - Malartic (Québec)

Courrier

Il était une fois dans l'ouest (de paris)

Good morning Kana,

Ma passion pour l'univers "mangatesque" remonte à bien longtemps déjà. Je me souviens que lorsque j'ai débarqué de mon bled paumé, mes premiers mots furent « Kamehameha » ou « Cicatrisation lunaire, exécution! ». L'emblème de toute une génération en somme. L'intégration n'étant pas chose facile, je me rappelle que les dessins de personnages de dessins animés étaient mes premiers amis. Ma vue a pas mal baissé d'ailleurs en dessinant et en lisant. Je vous confie cela, non pas pour jouer les "Cosette" et obtenir de la compassion mais pour vous faire comprendre que la BD japonaise était (ça l'est moins maintenant, je ne suis pas un otaku) un refuge, un exutoire à mon vague à l'âme, une soupape de sécurité qui me permettait de faire abstraction des mauvais penchants de la nature humaine. Voilà, quand j'ai bifurqué vers d'autres mangas moins classiques, j'ai retrouvé les thèmes qui m'apaisent : l'amitié, l'amour, le courage...

Je raffole d'Onizuka (GTO), Naruto, Ryô Saeba (City Hunter) mais en fait, je me rends compte que les personnages sont interchangeables. Seul le message que l'auteur veut nous délivrer est important. Face à une société dogmatique plutôt lisse, j'apprécie l'anti-conformisme, la révolution douce qui émane des mangas. J'espère vous avoir évité la caricature de l'ado rebelle boutonneux.

Pascal - 19 ans - Nîmes

Trêve de palabres, voici mes questions :

1) Vous arrive-t-il de vous identifier à un personnage de manga ou de le prendre comme modèle ?

2) Croyez-vous que le manga doit être réservé aux fans de la 1re heure comme le souhaitent des fans élitistes ?

3) Sachant que dans un triangle rectangle, le carré de l'hypoténuse est égal au carré des deux autres côtés, comptez-vous interviewer Masashi Kishimoto ?

4) Dans la passion, suis-je moi-même ? (La réponse à cette question m'aiderait pour ma disserte de philo...)

P.-S. : Je vends un barbecue en bon état. Ca intéresse quelqu'un ? Je cherche la future mère de mes enfants, aussi. Mention spéciale pour les guerriers Masaï. Si ce que je vous écris vaut une gamelle de riz, publiez-le, SVP ! Ca me ferait un bien fou !! Pitié ! Sinon, ben, euh... Bien sûr, merci d'exister. Gardez la foi dans ce que vous faites. Arigatô Gozaimashita !

African Warrior – 19 ans – Boulogne-Billancourt

Cher African Warrior,

C'est un peu dur ce que tu nous fais : ton histoire personnelle a l'air très émouvante mais tu donnes si peu de détails... Doit-on deviner que tu es arrivé d'Afrique et que l'accueil ne fut pas des plus chaleureux ? Si c'est bien le cas, bravo pour ton courage et ta force de caractère. C'est en tout cas une bonne chose que tu aies trouvé une forme de réconfort dans les mangas, notamment les shônen*, dont les thèmes sont à même de toucher tous les cœurs, même les plus durs. Quoi qu'il en soit, rassure-toi, nous sommes des (grands) adolescents rebelles. On est donc sur la même longueur d'ondes.

En réponse à tes questions :

1) Nous croirais-tu vraiment si l'on te disait qu'aucun de nous ne s'identifie à un ou plusieurs personnages de manga ? Non ? Et tu aurais bien raison ! Nous sommes tous à fond dans ce que nous faisons. On a tous d'ailleurs, au moins une fois, essayé le multiclonage...

2) Le manga, un loisir pour une élite ? Alors, ça, non, jamais ! Le manga, surtout celui pour ados, est un plaisir de masse depuis sa création et il doit le rester. On peut tout à fait com-

Courrier

prendre le sentiment des fans de la première heure qui peuvent se sentir dépossédés de leur passion, de ces mangas dont ils ont compris la valeur avant tout le monde. Néanmoins, c'est justement parce qu'il y a de grandes qualités dans le manga qu'elle mérite d'être partagée par le plus grand nombre. Certains mangas, plus difficiles d'accès par leur contenu, peuvent tout à fait être réservés à une "élite de penseurs" mais "Naruto", "Yu-Gi-Oh", "Shaman King", etc., non, surtout pas, ce serait trop dommage...

3) Interviewer l'auteur de Naruto fait évidemment partie de nos rêves à réaliser mais cela ne dépend pas de nous mais de lui. ^^ Quand il se décidera à lâcher son crayon à dessin peut-être...

4) Difficile question philosophique... L'important est de savoir si la passion sert à révéler ce que nous sommes vraiment ou si au contraire, elle nous éloigne de ce que nous sommes, non? Quoi qu'il en soit, en guise de réponse, voici une citation : « Le feu des plus nobles passions, comme celui des plus obscures, produit toujours un peu de fumée, qui offusque notre raison » (Louis XIV). À méditer!

*Appellation japonaise des mangas destinés aux adolescents garçons.

Mélissa Rémillard - 17 ans - Malartic (Québec)

NARUTO

7, avenue P-H Spaak - 1060 Bruxelles
2ème édition

First published in Japan in 1999 by Shueisha Inc., Tokyo
French language translation rights in France arranged by Shueisha Inc.
Première édition Japon 1999

Dépôt légal d/2005/0086/006
ISBN 2-87129-704-5

Conception graphique : Les Travaux d'Hercule
Traduit et adapté en français par Sébastien Bigini
Adaptation graphique : Eric Montésinos

Imprimé en Italie par G. Canale & C. S.p.A. - Borgaro T.se (Torino)